Univers des

Sous la direction de Fernand Angué

R A C I N E

BAJAZET

Tragédie
avec une notice sur le théâtre au XVIIe siècle,
une biographie chronologique de Racine, une étude
générale de son œuvre, une analyse méthodique
de la pièce, des notes, des questions

par

Eugène BEREST
Professeur de Chaires Supérieures

Bordas

Cl. Roger-Viollet

Jean Racine
Gravure de J. Daullé, 1762

© Bordas, Paris 1965 - 1re édition
© Bordas, Paris 1984 pour la présente édition
I.S.B.N. : 2-04-016072-8;   I.S.S.N. 1142-6543.

LE THÉATRE AU XVIIᵉ SIÈCLE

Origines du théâtre parisien

1398 Les Confrères de la Passion sont établis à Saint-Maur.

1400 Le Synode de Troyes défend aux prêtres d'assister aux spectacles des mimes, farceurs, jongleurs, comédiens.

1402 Les Confrères s'installent à Paris (hôpital de la Sainte-Trinité) et y présentent des mistères, des farces, des moralités.

1539 Ils transportent leurs pénates à l'Hôtel de Flandre.

1543 Celui-ci démoli, ils font construire une salle à l'emplacement de l'hôtel des anciens ducs de Bourgogne (angle des rues Mauconseil et Française : il en reste la Tour de Jean-sans-Peur et une inscription au nº 29 de la rue Étienne-Marcel), tout près de l'ancienne Cour des Miracles.

1548 Un arrêt du Parlement défend aux Confrères la représentation des pièces religieuses, leur réservant en retour le droit exclusif de jouer les pièces profanes (on commence à composer des tragédies imitées de l'antique). Henri IV renouvellera ce monopole en **1597**.

Les troupes au XVIIᵉ siècle

1. **L'Hôtel de Bourgogne.** — Locataires de la Confrérie, les « Grands Comédiens » (Molière les nomme ainsi dans *les Précieuses ridicules*, sc. 9) sont des « artistes expérimentés » mais, vers 1660, leur équipe a vieilli. Pour lutter contre la concurrence de Molière, elle s'essaye dans la petite comédie, la farce : « On vit tout à coup ces comédiens graves devenir bouffons », écrivit Gabriel Guéret. A partir de 1670, ils reviennent à la tragédie où éclate leur supériorité (selon le goût du public). Ils touchent une pension de 12 000 livres, que leur avait fait obtenir Richelieu.

2. Le **Théâtre du Marais**, qui fit triompher *le Cid* en 1637, n'a plus, en 1660, « un seul bon acteur ny une seule bonne actrice », selon Tallemant des Réaux. La troupe cherche le salut dans les représentations à grand spectacle, les « pièces à machines » pour lesquelles on double le prix des places. Elle ne touche plus aucune pension.

3. Les **Italiens** sont animés par Tiberio Fiurelli, dit Scaramouche (né à Naples en 1608), mime d'une étonnante virtuosité. Ils improvisent sur un canevas, selon le principe de la *commedia dell'arte*. S'exprimant en italien, ils sont « obligés de gesticuler [...] pour contenter les spectateurs », écrit Sébastien Locatelli. Ils reçoivent 16 000 livres de pension générale et des pensions à titre personnel.

4. La **troupe de Molière** s'est installée à Paris en 1658, d'abord au Petit-Bourbon, puis au Palais-Royal; en 1665, elle est devenue la Troupe du Roi et reçoit 6 000 livres de pension.

5. L'**Opéra**, inauguré le 3 mars 1671 au jeu de paume de Laffemas, près de la rue de Seine et de la rue Guénégaud, est dirigé, à partir de l'année suivante, par Lully.

6. Autres troupes plus ou moins éphémères : celle de Dorimond; les Espagnols; les danseurs hollandais de la foire Saint-Germain; les animateurs de marionnettes. Enfin, de dix à quinze troupes circulent en province, selon Chappuzeau.

En 1673 (ordonnance du 23 juin), la troupe du Marais fusionne avec celle de Molière qui a perdu son chef. Installés à l'**hôtel Guénégaud,** ces comédiens associés se vantent d'être les Comédiens du Roi; cependant, ils ne touchent aucune pension.

En **1680** (18 août), ils fusionnent avec les Grands Comédiens; ainsi se trouve fondée la **Comédie-Française.** « Il n'y a plus présentement dans Paris que cette seule compagnie de comédiens du Roi entretenus par Sa Majesté. Elle est établie en son hôtel, rue Mazarini, et représente tous les jours sans interruption; ce qui a été une nouveauté utile aux plaisirs de cette superbe ville, dans laquelle, avant la jonction, il n'y avait comédie que trois fois chaque semaine, savoir le mardi, le vendredi et le dimanche, ainsi qu'il s'était toujours pratiqué. » (Préface de Vinot et La Grange pour l'édition des œuvres de Molière, 1682.)

Les comédiens : condition morale

Par ordonnance du 16 avril 1641, Louis XIII les a relevés de la déchéance qui les frappait : « Nous voulons que leur exercice, qui peut innocemment divertir nos peuples de diverses occupations mauvaises, ne puisse leur être imputé à blâme, ni préjudice à leur réputation dans le commerce public. »

Cependant, le *Rituel du diocèse de Paris* dit qu'il faut exclure de la communion « ceux qui sont notoirement excommuniés, interdits et manifestement infâmes : savoir les [...] comédiens, les usuriers, les magiciens, les sorciers, les blasphémateurs et autres semblables pécheurs ». La *Discipline des protestants de France* (chap. XIV, art. 28) dit : « Ne sera loisible aux fidèles d'assister aux comédies, tragédies, farces, moralités et autres jeux joués en public et en particulier, vu que de tout temps cela a été défendu entre les chrétiens comme apportant corruption de bonnes mœurs. »

On sait comment fut enterré Molière. Au XVIIIe siècle, après la mort d'Adrienne Lecouvreur, Voltaire pourra encore s'élever (*Lettres philosophiques*, XXIII) contre l'attitude de l'Église à l'égard des comédiens non repentis.

Les comédiens : condition matérielle

Les comédiens gagnent largement leur vie : de 2 500 livres à 6 000 livres par an; ils reçoivent une retraite de 1 000 livres lorsqu'ils abandonnent la scène (un charpentier gagne 1/2 livre par jour en 1660). La troupe forme une société : chacun touche une part, une moitié ou un quart de part des recettes, — déduction faite des 80 livres de frais (un copiste, deux décorateurs, les portiers, les gardes, la receveuse, les ouvreurs, les moucheurs de chandelles) que coûte à peu près chaque représentation. Le chef des Grands Comédiens touche une part et demie. Molière en touche deux, à cause de sa qualité d'auteur (les auteurs ne recevaient pas alors de pourcentage sur les recettes).

Les salles

En 1642, Charles Sorel évoque ainsi l'**Hôtel de Bourgogne :** « Les galeries où l'on se met pour voir nos Comédiens ordinaires me déplaisent pour ce qu'on ne les voit que de côté. Le parterre est fort incommode pour la presse qui s'y trouve de mille marauds mêlés parmi les honnêtes gens, auxquels ils veulent quelquefois faire des affronts [...]. Dans leur plus parfait repos, ils ne cessent de parler, de siffler et de crier, et parce qu'ils n'ont rien payé à l'entrée et qu'ils ne viennent là que faute d'autre occupation, ils ne se soucient guère d'entendre ce que disent les comédiens. »

Dans les trois théâtres, la plupart des spectateurs sont debout, au parterre. Un certain nombre occupent la scène — des hommes seulement —, côté cour et côté jardin [1] : deux balustrades les isolent des comédiens qui se tiennent au centre du plateau. D'autres spectateurs occupent les galeries, les loges. Une buvette offre des limonades, des biscuits, des macarons.

Le prix des places est passé de 9 sous (en 1640) à 15 sous (en 1660) pour le parterre; de 10 sous (en 1609) à 19 sous (en 1632) puis à un demi-louis (en 1660), soit 110 sous (prix indiqué dans *la Critique de l'École des femmes* — sc. 5 — en 1663), pour les galeries, le plateau ou les loges. On saisissait d'ailleurs toute occasion d'élever les prix : pièces « à machine », nouveautés, grands succès. Pour *la Toison d'or* de Corneille (1660), on dut payer un demi-louis au parterre et un louis dans les loges. Les Grands (princes du sang, ducs et pairs), les mousquetaires et les pages du roi entrent au théâtre sans payer. Les pages suscitent parfois du désordre que le Lieutenant de police doit réprimer.

Chassés de l'hôtel Guénégaud en **1687**, les Comédiens français s'installeront, le 8 mars **1688**, au jeu de paume de l'Étoile, rue des Fossés-Saint-Germain (aujourd'hui de l'Ancienne-Comédie), où ils resteront jusqu'en 1770. Inaugurée le 18 avril 1689, la nouvelle salle accueillera près de 2 000 spectateurs. Vingt-quatre lustres l'illumineront, mais il n'y aura pas encore de sièges au parterre : ils apparaîtront seulement en 1782, dans la salle que nous nommons l'Odéon.

Annoncées pour 2 heures (affiches rouges pour l'Hôtel de Bourgogne, rouges et noires pour la troupe de Molière), les représentations ne commencent qu'à 4 ou 5 heures, après vêpres.

Il y a un rideau de scène, mais on ne le baisse jamais, à cause des spectateurs assis sur le plateau; des violons annoncent l'entracte.

---

1. Regardons la scène, conseillait Paul Claudel, et projetons-y les initiales de *Jésus-Christ*, nous saurons où est le côté *Jardin* et le côté *Cour*.

LA VIE DE RACINE (1639-1699)

1639 (22 décembre) Baptême de Jean Racine, fils de Jean RACINE, contrôleur du grenier à sel de la Ferté-Milon, et de Jeanne SCONIN, fille de Pierre Sconin, procureur royal des Eaux et Forêts de Villers-Cotterêts. Les Racine prétendaient avoir été anoblis vers la fin du xviᵉ siècle.

1641 (28 janvier) Mort de Mᵐᵉ Racine qui avait mis au monde, le 24 janvier, une fille baptisée Marie.

1643 (6 février) Mort du père (remarié en 1642) : il ne laisse que des dettes. D'abord élevés par leur grand-père Sconin, à la mort de ce dernier les deux orphelins sont pris en charge par leur grand-mère paternelle, Marie DESMOULINS, marraine du petit Jean, et dont la fille Agnès (née en 1626) devait devenir abbesse de Port-Royal sous le nom de Mère AGNÈS DE SAINTE-THÈCLE. De treize ans son aînée, Agnès se montre pour l'enfant une vraie mère, ce qui explique les remontrances qu'elle lui fera plus tard, quand elle craindra pour son âme.

1649 A la mort de son mari, Marie Desmoulins emmène Jean à **Port-Royal** où elle a des attaches (une de ses sœurs, Suzanne, était morte en 1647 dans la maison de Paris; l'autre, Mᵐᵉ Vitart, était oblate à Port-Royal des Champs) et où elle-même prend le voile.

1649-1653 Racine est admis aux **Petites Écoles** tantôt à Paris, tantôt au Chesnay ou aux Champs, dans le domaine des Granges où les élèves logent avec les Solitaires. Il a Nicole pour maître en Troisième.

1654-1655 Classes de Seconde et de Première au Collège de Beauvais, qui appartient également aux Jansénistes.

1655-1658 Retour à **Port-Royal des Champs.** « Lancelot lui apprit le grec, et dans moins d'une année le mit en état d'entendre les tragédies de Sophocle et d'Euripide » (Valincour à l'abbé d'Olivet, cité dans l'*Histoire de l'Académie*, 1858, t. II, p. 328). La formation que Racine a reçue de l'helléniste Lancelot, du latiniste Nicole, d'Antoine Le Maître et de « Monsieur » Hamon, tous hommes d'une piété austère, aura une influence considérable sur son œuvre, et explique qu'on ait pu voir des chrétiennes plus ou moins orthodoxes en Phèdre et Andromaque. Peut-être aussi cette éducation sévère a-t-elle fait de Racine un replié qui explosera dès qu'il en trouvera la liberté : c'est l'opinion de Sainte-Beuve.

1659 A sa sortie du Collège d'Harcourt, où il a fait sa philosophie, Racine demeure à Paris où il retrouve Nicolas Vitart, cousin germain de son père et secrétaire du duc de Luynes. Il manifeste quelque tendance à mener joyeuse vie et semble avoir fait connaissance, dès cette époque, avec La Fontaine. Ambitieux, désireux de faire une carrière littéraire, il recherche avec habileté la faveur des grands.

1660   Ode en l'honneur du mariage du roi : *la Nymphe de la Seine*. D'après Sainte-Beuve, Chapelain aurait déclaré : « L'ode est fort belle, fort poétique, et il y a beaucoup de stances qui ne peuvent être mieux. Si l'on repasse le peu d'endroits que j'ai marqués, on en fera une fort belle pièce. » Aussi intéressante, pour le jeune arriviste, est la gratification de cent louis qui accompagne ce compliment.

1661   Retraite à **Uzès** chez son oncle, le chanoine Sconin, vicaire général, dont il espère recevoir le bénéfice. Il étudie la théologie et... s'ennuie. D'Uzès, il écrit à La Fontaine : « Toutes les femmes y sont éclatantes, et s'y ajustent d'une façon qui leur est la plus naturelle du monde [...]. Mais comme c'est la première chose dont on m'a dit de me donner de garde, je ne veux pas en parler davantage [...]. On m'a dit : *Soyez aveugle!* Si je ne le puis être tout à fait, il faut du moins que je sois muet; car, voyez-vous, il faut être régulier avec les réguliers, comme j'ai été loup avec les autres loups vos compères. *Adiousas!* »

1662   Déçu de n'avoir obtenu, pour tout bénéfice, qu'un petit prieuré, Racine revient à Paris où, en janvier 1663, il publie une ode : *la Renommée aux Muses*. Il voudrait sa part de la manne royale dont tout le monde parle dans la République des Lettres : la première liste officielle de gratifications sera publiée en 1664 et le jeune poète sera inscrit pour 600 livres.

1663 (12 août)   Marie Desmoulins meurt à Port-Royal de Paris.

1664 (20 juin)   Première représentation de **la Thébaïde ou les Frères ennemis** par la troupe du Palais-Royal que dirige Molière.

1665   Lecture de trois actes et demi d'*Alexandre* chez la comtesse de Guénégaud (4 décembre). Puis représentation de la tragédie par la troupe de Molière avec un grand succès. Saint-Evremond écrit une dissertation sur l'*Alexandre* de Racine et la *Sophonisbe* de Corneille. C'est alors que Racine se **brouille avec Molière** : il porte sa tragédie chez les comédiens de l'Hôtel de Bourgogne.

1666   Nicole faisait paraître, depuis 1664, une série de *Lettres sur l'Hérésie imaginaire* (c'est-à-dire le jansénisme) : les dix premières seront nommées *les Imaginaires*, les huit suivantes *les Visionnaires*. Dans la première *Visionnaire*, Nicole traite le « faiseur de romans » et le « poète de théâtre » d' « empoisonneur public, non des corps, mais des âmes des fidèles ». Racine répond : « Vous pouviez employer des termes plus doux que ces mots d'*empoisonneurs publics* et de *gens horribles parmi les chrétiens*. Pensez-vous que l'on vous en croie sur parole? Non, non, Monsieur, on n'est point accoutumé à vous croire si légèrement. Il y a vingt ans que vous dites tous les jours que les Cinq Propositions ne sont pas dans Jansenius; cependant on ne vous croit pas encore. » La raillerie « sent déjà Voltaire », observe F. Mauriac.

1667 (mars)   Maîtresse de Racine, la comédienne **Thérèse Du Parc** quitte la troupe de Molière et crée **Andromaque** à l'Hôtel de Bourgogne. Ils se marièrent secrètement (le chanoine Chagny en a fourni la preuve en 1962) et eurent une fille qui mourut à l'âge de huit ans.

1668 (décembre)   Mort de la Du Parc, dans des conditions assez mystérieuses : la mère parle d'empoisonnement [1].

1669 (13 décembre)   Échec de *Britannicus*, malgré la protection déclarée du roi. La tragédie a eu pour interprète la nouvelle maîtresse de Racine, la **Champmeslé**, « la plus merveilleuse comédienne que j'aie jamais vue : elle surpasse la Desœillets de cent lieues loin » (Mme de Sévigné, 15 janvier 1672).

1670 (21 novembre)   Première de *Bérénice*. Racine entre en lutte ouverte avec Corneille. D'après Fontenelle (*Vie de Corneille*, 1729), le sujet aurait été proposé au poète par Henriette d'Angleterre, qui l'aurait également suggéré à Corneille, sans dire ni à l'un ni à l'autre qu'elle engageait une compétition. Les plus récents historiens littéraires, dont M. Pommier, n'ajoutent pas foi à cette tradition. En 1660, comme Titus, Louis XIV avait triomphé de sa passion (pour Marie Mancini, nièce de Mazarin) : on tenait à l'en louer.

Racine mène alors une vie agitée. Les ennemis ne lui manquent pas : les deux Corneille et leur neveu Fontenelle; les gazetiers Robinet et Donneau de Visé; la comtesse de Soissons (chez qui s'est retirée la mère de la Du Parc), la duchesse de Bouillon, les ducs de Vendôme et de Nevers... Mais il a de puissants protecteurs dans le roi, Mme de Montespan et sa sœur Mme de Thianges; il a deux bons amis : La Fontaine et Boileau.

1677 (1er janvier)   Première de **Phèdre**. La cabale montée par la duchesse de Bouillon et son frère le duc de Nevers (ils avaient commandé à Pradon *Phèdre et Hippolyte*) fait tomber la pièce.

(1er juin)   Mariage de Racine avec Catherine de Romanet : il en aura sept enfants.

(Octobre)   Racine et Boileau nommés **historiographes** du roi. Le 13 du mois, Mme de Sévigné écrit à Bussy : « Vous savez bien que [le roi] a donné 2 000 écus de pension à Racine et à Despréaux, en leur commandant de tout quitter pour travailler à son histoire. » Ainsi la retraite de Racine est due à cette ascension sociale, non à sa conversion qui eut lieu la même année; pour la même raison, à partir de 1677, Boileau cesse d'écrire des vers et, dans sa préface de 1683, il parlera du « glorieux emploi qui [l'] a tiré du métier de la poésie ».

1679   La Voisin, une des principales inculpées dans l'**affaire des poisons,** accuse Racine : elle a entendu dire, par la mère de la Du Parc, qu'il n'aurait pas été étranger à la mort de la comédienne. Désormais, selon M. Clarac, Racine aura « en horreur sa vie passée ».

---

1. Elle accuse Racine d'avoir agi par jalousie. Ainsi débute l'affaire des poisons. En 1670, on trouve chez la marquise de Brinvilliers un attirail d'empoisonneuse. Arrêtée en 1676, porteuse d'une confession écrite qui terrifie les enquêteurs, elle est bientôt exécutée. Mais l'on a découvert une véritable bande de femmes qui vendaient des poisons appelés « poudres de succession ». Le roi convoque une Chambre ardente : elle fait arrêter les coupables et enregistre la dénonciation faite par la Voisin. En janvier 1680, un ordre d'arrestation sera lancé contre Racine mais, par suite d'une très haute intervention, l'affaire en restera là pour le poète.

1685 (2 janvier)   Racine, directeur de l'Académie française, reçoit Thomas Corneille qui remplace son frère dans la docte assemblée. Faisant un bel éloge de l'ancien rival, Racine déclare : « A dire le vrai, où trouvera-t-on un poète qui ait possédé à la fois tant de grands talents, tant d'excellentes parties : l'art, la force, le jugement, l'esprit ! Quelle noblesse, quelle économie dans les sujets ! Quelle véhémence dans les passions ! Quelle gravité dans les sentiments ! Quelle dignité, et en même temps quelle prodigieuse variété dans les caractères ! »

1687   Racine donne une nouvelle édition de son théâtre. Sa conversion ne l'a donc pas conduit à négliger son œuvre passée et à se rallier aux vues de Nicole.

1689 (26 janvier)   Première représentation d'**Esther,** pièce sacrée commandée par Mme de Maintenon pour les « demoiselles de Saint-Cyr ».

1690   Racine est nommé **gentilhomme ordinaire du roi** et, en 1693, faveur insigne, sa charge deviendra héréditaire. Dans un texte rédigé entre 1690 et 1697 (Spanheim, *Relation de la Cour de France*, 1882, p. 402), on lit : « M. de Racine a passé du théâtre à la cour, où il est devenu habile courtisan, dévot même [...]. Pour un homme venu de rien, il a pris aisément les manières de la cour [...] et il est de mise partout, jusques au chevet du lit du Roi, où il a l'honneur de lire quelquefois, ce qu'il fait mieux qu'un autre. »

1691 (5 janvier)   Représentation d'*Athalie* à Saint-Cyr, sans décor ni costumes. Les conditions de ce spectacle amèneront Francisque Sarcey à se demander s'il ne serait pas possible de jouer les grandes pièces classiques « dans une grange ».

1691-1693   Racine accompagne le roi aux sièges de Mons et de Namur, mais il n'est resté de son œuvre d'historiographe que des récits fragmentaires. Sa pension sera double de celle de Boileau.

1693-1698   *Abrégé de l'histoire de Port-Royal*, écrit à la gloire de ses anciens maîtres pour lesquels il ne cesse de s'entremettre auprès du roi. Nouvelle édition des *Œuvres complètes*, augmentées de pièces diverses et de *Quatre Cantiques spirituels*. L'amitié de Racine pour les Jansénistes ne trouble pas ses relations avec le roi, quoi qu'on en ait dit : il continue d'être invité à Marly et, le 6 mai 1699, Boileau écrira à Brossette que « Sa Majesté a parlé de M. Racine d'une manière à donner envie aux courtisans de mourir s'ils croyaient qu'Elle parlât d'eux de la sorte après leur mort ».

1699 (21 avril)   Mort de Racine. Son « petit testament » exprime ces volontés :
Je désire qu'après ma mort mon corps soit porté à Port-Royal des Champs, et qu'il soit inhumé dans le cimetière, aux pieds de la fosse de M. Hamon. Je supplie très humblement la mère abbesse et les religieuses de vouloir bien m'accorder cet honneur, quoique je m'en reconnaisse indigne, et par les scandales de ma vie passée, et par le peu d'usage que j'ai fait de l'excellente éducation que j'ai reçue autrefois dans cette maison, et des grands exemples de piété et de pénitence que j'y ai eus et que je n'ai été qu'un stérile admirateur. Mais plus j'ai offensé Dieu, plus j'ai besoin des prières d'une si sainte communauté pour attirer sa miséricorde sur moi. Je prie aussi la mère abbesse et les religieuses de vouloir accepter une somme de huit cents livres.
Fait à Paris, dans mon cabinet, le 10 octobre 1698.

1711 (2 décembre)   Après la destruction de Port-Royal, les cendres de Racine sont transférées, avec celles de Pascal, à Saint-Étienne-du-Mont.

RACINE : L'HOMME

Au physique, nous ne connaissons guère le jeune Racine car « le seul portrait de Racine qui présente de sérieuses garanties d'authenticité est celui que peignit Santerre deux ou trois ans, vraisemblablement, avant la mort du poète » (R. Picard, II, p, 1145). Ses contemporains disent qu'il était beau et ressemblait au roi.

Passionné, il fut aimé autant qu'il aima. Trop longtemps comprimé dans le milieu rigoriste de son enfance (voir p. 7), il eut tendance à confondre l'indépendance du jeune homme avec la débauche; mais, sensible à l'excès, il sut plus tard être bon père.

Le cruel Racine tend aujourd'hui à effacer le doux et tendre Racine de la légende. « Comme il sait mordre, comme il sait être arrogant, blessant, méprisant, brutal! Si on ne l'admirait pas tant, on le haïrait » (Jean-Louis Barrault, *Mon Racine*). Légende nouvelle? Non. « Fourbe, traître, ambitieux, méchant », affirmait Diderot. Et l'on ne récusera pas ce témoignage de Boileau, ami des premiers jours et des derniers : « Railleur, inquiet, jaloux et voluptueux » (d'après Jean Pommier, *Revue d'histoire littéraire de la France*, octobre 1960). Cependant, **le grand Racine** garde son mystère, que F. Mauriac devine : « Nous avons perdu le secret de Jean Racine : le secret d'avancer continûment dans la vie spirituelle, d'y progresser, de n'en point laisser derrière nous des parcelles vivantes, attachées encore à la boue. Simplicité de Jean Racine. »

RACINE : SES PRINCIPES

Homme de théâtre, il exigeait de ses interprètes la perfection : ce serait la raison pour laquelle, d'après son fils, il aurait retiré *Alexandre* aux acteurs de Molière, dont il était mécontent (voir p. 7).

Écrivain, il nous a révélé ses scrupules dans ses préfaces :
En 1664, dans la dédicace de *la Thébaïde*, il parle du « don de plaire », qui lui paraîtra toujours la qualité majeure d'un écrivain.
En 1666, dans la première préface d'*Alexandre*, il attaque les « subtilités de quelques critiques, qui prétendent assujettir le goût du public aux dégoûts d'un esprit malade, qui vont au théâtre avec un ferme dessein de n'y point prendre de plaisir, et qui croient prouver à tous les spectateurs, par un branlement de tête et par des grimaces affectées, qu'ils ont étudié à fond la *Poétique* d'Aristote » : première attaque contre les formalistes.
Que reproche-t-on à mes tragédies, demande Racine, « si toutes mes scènes sont bien remplies, si elles sont liées nécessairement les unes

avec les autres, si tous mes acteurs ne viennent point sur le théâtre que l'on ne sache la raison qui les y fait venir et si, avec **peu d'incidents et peu de matière,** j'ai été assez heureux pour faire une pièce qui les a peut-être attachés malgré eux, depuis le commencement jusqu'à la fin? »

Une tragédie n'est que « l'imitation d'une action complète où plusieurs personnes concourent », lit-on dans la première préface de *Britannicus* (1670); mais « d'une action simple, chargée de peu de matière, telle que doit être une action qui se passe en un seul jour, et qui, s'avançant par degrés vers sa fin, n'est soutenue que par les intérêts, les sentiments et les passions des personnages ».

On n'écrit pas une tragédie, en effet, pour les pédants, mais pour « le petit nombre de gens sages auxquels [on s'] efforce de plaire ». La préface de *Bérénice* (1671) précise certains points, notamment la brièveté et la simplicité de l'action :

« La durée d'une tragédie ne doit être que de quelques heures. »
« Ce n'est point une nécessité qu'il y ait du sang et des morts dans une tragédie; il suffit que l'action en soit grande, que les acteurs en soient héroïques, que les passions y soient excitées, et que tout s'y ressente de cette **tristesse majestueuse** qui fait tout le plaisir de la tragédie. »

La simplicité de l'action était « fort du goût des anciens. Car c'est un des premiers préceptes qu'ils nous ont laissés [...]. Et il ne faut point croire que cette règle ne soit fondée que sur la fantaisie de ceux qui l'ont faite. Il n'y a que le **vraisemblable** qui touche dans la tragédie. Et quelle vraisemblance y a-t-il qu'il arrive en un jour une multitude de choses qui pourraient à peine arriver en plusieurs semaines? Il y en a qui pensent que cette simplicité est une marque de peu d'invention [...] au contraire, toute l'invention consiste à **faire quelque chose de rien** ».

Les règles? « **La principale règle est de plaire et de toucher.** Toutes les autres ne sont faites que pour parvenir à cette première. » Le tragique se risquera-t-il, dans son désir de faire neuf, à prendre son sujet dans l'histoire moderne? Pas celle de son pays, en tout cas, répond Racine en 1676 dans la seconde préface de *Bajazet;* car on ne peut évoquer le quotidien avec poésie. « Je ne conseillerais pas à un auteur de prendre pour sujet d'une tragédie une action aussi moderne que celle-ci, si elle s'était passée dans le pays [...]. Les personnages tragiques doivent être regardés d'un autre œil que nous ne regardons d'ordinaire les personnages que nous avons vus de si près [...]. L'éloignement des pays répare en quelque sorte la trop grande proximité des temps » (voir p. 26-27, lignes 29-38).

La préface de *Phèdre* (1677), enfin, rappelle les nécessités morales que le jeune contradicteur de Nicole (voir p. 7) aurait eu tendance à écarter. Le sujet de cette tragédie présente « toutes les qualités qu'Aristote demande dans le héros de la tragédie, et qui sont propres à **exciter la compassion et la terreur.** »

RACINE : SON ŒUVRE

L'œuvre dramatique de Racine est peu abondante, en regard des 33 pièces de Corneille et des 34 pièces de Molière. Elle comprend 12 pièces, réparties en trois genres :

9 tragédies profanes :

    1664 (20 juin)[1] *la Thébaïde ou les Frères ennemis.*

    1665 (4 décembre) : *Alexandre le Grand.*

    1667 (17 novembre) : *Andromaque.*

    1669 (13 décembre) : *Britannicus.*

    1670 (novembre) : *Bérénice.*

    1672 (janvier) : *Bajazet.*

    1673 (janvier) : *Mithridate.*

    1674 (août) : *Iphigénie.*

    1677 (1er janvier) : *Phèdre.*

2 tragédies sacrées :

    1689 (26 janvier) : *Esther.*

    1691 (janvier) : *Athalie.*

Une comédie en trois actes :

    1668 (octobre ou novembre) : *les Plaideurs.*

En dehors de son œuvre dramatique, Racine a écrit des œuvres diverses en vers et en prose :

Des poèmes latins et français dont les principaux sont : *la Nymphe de la Seine*, 1660; *la Renommée aux Muses*, 1663; onze *Hymnes traduites du Bréviaire romain*, 1688; quatre *Cantiques spirituels*, 1694.

Des traductions, des annotations et des remarques sur l'*Odyssée* (1662), Eschyle, Sophocle, Euripide, la *Poétique* d'Aristote, le *Banquet* de Platon...

Des ouvrages polémiques : neuf épigrammes probablement (Racine ne les avoua pas) et surtout les *Lettres à l'auteur des Imaginaires* dont il ne publia que la première, en 1666 (la seconde paraîtra en 1722).

Des discours : *Pour la réception de M. l'abbé Colbert*, 1678; *Pour la réception de MM. de Corneille et Bergeret*, 2 janvier 1685.

Des ouvrages historiques :

    Éloge historique du Roi sur ses conquêtes depuis l'année 1672 jusqu'en 1678.

    Relation de ce qui s'est passé au siège de Namur, imprimée en 1692 par ordre du roi, mais sans nom d'auteur.

    Notes et fragments (notes prises sur le vif par l'historiographe qui accompagnait le roi dans ses campagnes).

    Divers textes, en prose et en vers, concernant Port-Royal.

    Abrégé de l'histoire de Port-Royal, sa dernière œuvre, publiée en 1742 (première partie) et 1767 (seconde partie) : « Une chronique sacrée, [...] de l'Histoire Sainte, bien plutôt que de l'histoire » (Raymond Picard, *Œuvres complètes de Racine*, t. II, 1960, p. 35).

---

1. Les dates données sont celles de la première représentation.

Bibliographie

Paul Mesnard, *Œuvres de Racine*, collection des Grands écrivains, 1865-1873, 8 vol.

Edmond Pilon, René Gros et Raymond Picard, *Œuvres complètes de Racine*, Bibliothèque de la Pléiade, 1956, 2 vol.

Antoine Adam, *Histoire de la littérature française au XVIIe s.*, t. IV, 1954.

Jacques Vier, *Histoire de la littérature française*, 1961.

Stendhal, *Racine et Shakespeare*.

Sainte-Beuve, articles sur Racine.

Francisque Sarcey, *Quarante ans de théâtre*, 1900.

Georges Le Bidois, *l'Action dans la tragédie de Racine*, 1900.

Jules Lemaître, *Jean Racine*, 1908.

Charles Péguy, *Victor-Marie, comte Hugo*, 1912.

Lucien Dubech, *Racine politique*, 1926.

Gonzague Truc, *Racine*, 1926.

François Mauriac, *la Vie de Jean Racine*, 1928.

Thierry-Maulnier, *Racine*, 1935.

Pierre Moreau, *Racine, l'homme et l'œuvre*, 1943.

Xavier de Courville, *Bajazet*, collection Mises en scène, 1947.

Paul Bénichou, *Morales du Grand Siècle*, 1948.

Raymond Picard, *la Carrière de Jean Racine*, 1956.

Maurice Descotes, *les Grands Rôles du théâtre de Jean Racine*, 1957.

René Jasinski, *Vers le vrai Racine*, 1958.

Jean Pommier, *Aspects de Racine*, 1964.

Jacques Morel, *la Tragédie*, 1964.

Le sultan Amurat IV
Portrait à l'huile
Istanbul, Bibliothèque Topkaki Sérail

LA TRAGÉDIE DE « BAJAZET »

1. Une œuvre « dans le vent »

Lorsque Racine fait représenter et publie *Bajazet* en 1672, il y a bien longtemps que la Turquie a suscité en France des œuvres littéraires : citons simplement, parmi les œuvres théâtrales, *Ibrahim* de Scudéry (1643), *le Grand et Dernier Solyman* de Mairet (1639), *Roxelane* de Desmares (1643), *Osman* de Tristan l'Hermite (1646), *le Grand Tamerlan et Bajazet* de Magon (1648). Puis la mode en a passé, et les œuvres turques se raréfient, disparaissent.

Elles reparaissent vers 1670, et très probablement pour des raisons politiques. A partir des années 1650, sous l'influence d'une famille de grands-vizirs, les Koprilii, la Turquie vit une très grande période et va causer de graves inquiétudes à l'Europe occidentale : invasion de la Transylvanie en 1663 ; défaite en Hongrie en 1664 (parmi les troupes européennes opposées aux Turcs, il y a un corps français) ; prise de Candie après un siège interminable : de nombreux Français avaient participé à la défense de la ville, entre autres un certain chevalier de Nantouillet, qui connut les prisons turques, et que nous retrouverons.

Louis XIV, fidèle à une vieille tradition qui commandait à la France, puissance catholique, l'amitié avec la Turquie, puissance musulmane, manœuvre pour ne mécontenter ni les Turcs ni les Européens. Pendant les derniers mois de 1669 et les premiers de 1670 séjourne en France une ambassade turque ; en la même année 1670 paraît la traduction française du livre de l'historien Rycaut, publié en Angleterre, *The History of the present state of the Ottoman Empire*. Le 14 octobre 1670, au Palais-Royal, a lieu la première du *Bourgeois gentilhomme*, avec sa cérémonie turque. L'œuvre remporte un très gros succès. Jaloux de cette réussite du théâtre concurrent, soucieux de sa carrière, attentif aux désirs du public, Racine va répliquer par *Bajazet*.

2. Racine et l'histoire turque

La tentation serait grande de ne pas aborder cette question, le phénomène littéraire que constitue la tragédie nous paraissant se suffire à lui-même. Mais Racine, violemment attaqué sur ce point, s'est défendu avec la vigueur d'un homme qui, sans le moindre doute, a voulu « faire turc ».

Les données certaines sont celles-ci : le Sultan Amurat (ou Amurath, ou Mourad IV) règne de 1623 à 1640. En 1635, il assiège et prend Érivan, en Arménie, et en profite pour faire étrangler deux de ses frères (issus d'autres mères que la sienne), Bajazet et Soliman, se conformant en cela à une tradition solidement établie chez les sultans. En 1638, à l'occasion de la prise de Bagdad, il récidive : c'est le tour de son frère Kasim. Seul survit son frère Ibrahim, qui lui succèdera en 1640. Pendant tout son règne Amurat subit l'in-fluence de sa mère, la « sultane-mère » Kaesem.

3. Les sources écrites

Les chroniques, les souvenirs de voyageurs sont très nombreux; parmi ceux qu'a pu consulter Racine citons : l'*Histoire des Turcs* de Mézeray (1650); *Relation d'un voyage fait au Levant* de Thévenot (1665); l'*Abrégé de l'histoire des Turcs* de Du Verdier (1665); *Nouvelle Relation de l'intérieur du sérail* de Tavernier; *Inventaire de l'histoire générale des Turcs* de Baudier (1641).

Bien entendu, comme il n'est rien de plus difficile à connaître que la politique intérieure des sultans, ces « historiens » sont loin d'être entièrement dignes de foi. On jugera sur un seul exemple, celui des circonstances de la mort de Bajazet et de son frère (appelé ici Orcan et non Soliman), des variations qui peuvent exister entre eux :

Bajazet et Orcan, frères du Grand Seigneur, furent étranglés par son comman-dement, le premier ayant tué trois ou quatre hommes à coups de flèches avant que de se laisser prendre (Baudier).
Bajazet fut étranglé sans aucune difficulté, Orcan défendit sa vie jusqu'à tuer trois hommes avant de se laisser prendre (Du Verdier).

4. Les informateurs de Racine

Racine en signale trois : Monsieur de **Césy** (Philippe de Harlay, comte de Césy) qui fut ambassadeur à Constantinople pratiquement de 1619 à 1644 (pendant un certain temps, il en eut les fonctions sans le titre); il revint en France en 1644 et mourut en 1652 (c'est l'année des treize ans de Racine, encore un peu jeune pour s'inté-resser aux histoires du sérail; mais les anecdotes de Césy circu-lèrent longtemps à Paris).

— Le chevalier de **Nantouillet**; celui-ci, lié avec Racine, avait probablement dix-sept ans à la mort de Césy, et il avait été pri-sonnier des Turcs après la capitulation de Candie.

— Monsieur **de la Haye,** qui fut le successeur de Césy à Constantinople où il resta jusqu'en 1671 (*Bajazet* fut représenté en 1672).

Les récits de Césy — La tâche essentielle du bon diplomate est d'avoir des informateurs : Césy trouvait les siens dans le harem et il paraît qu'il s'y ruina. Il y découvrit en tout cas matière à des dépêches romanesques. Le 7 septembre 1635, il raconte la mort des deux princes Bajazet et Soliman, les protestations du sérail, la résistance de « quelques eunuques et autres du sérail, et même quelques filles. » Il interprète le rôle de la sultane-mère qui a accepté de quitter le Sérail parce qu'elle « croyait que l'on dût exécuter seulement le prince Bajazet »; elle est en effet à l'origine de cette mort : « Bajazet était seulement d'un an plus jeune que sa Hautesse, et prince fort vif, qui ne pouvait se contenter dans le sérail, et nonobstant toutes les remontrances de la mère du Grand Seigneur, il voulait s'émanciper beaucoup plus que la coutume ne le comporte. Et, craignant qu'il ne prît l'essor, elle fut obligée d'en écrire à Sa Hautesse, afin qu'il lui en fît quelques menaces par lettres ou qu'il le fît resserrer plus étroitement. »

Cinq ans plus tard, Césy a eu de nouvelles informations : on voit naître le roman dans une dépêche du 10 mars 1640 :

> Le prince Bajazet, que la Sultane aimait chèrement bien que fils d'une autre femme, devint amoureux d'une belle fille favorite de ladite Sultane et la vit de si près qu'elle se trouva grosse, ce que la Sultane voulut tenir si secret que le Grand Seigneur n'en a jamais rien su : car on ôta la fille du sérail sans aucun éclat, pour la mettre chez une confidente de la Sultane où elle fit ses couches et où l'enfant s'est élevé.

Le rôle de la sultane-mère (alors âgée de 65 ans !) change ainsi du tout au tout; quand nous ajouterons que, selon Césy, l'enfant né de Bajazet était pris pour l'enfant d'Amurat, on pourra se demander quels auraient été les développements de cette histoire si Césy était resté à Constantinople.

Ou plutôt, nous connaissons très probablement ces développements, qui ont suivi le retour de Césy en France et qui, avant de passer à Racine par une série probable d'intermédiaires, ont été recueillis de la bouche du diplomate romancier par un romancier professionnel.

L'étape Segrais — Segrais, grand romancier de l'époque, publie en 1657 une histoire turque, *Floridon, ou l'Amour imprudent*. Comme dans le second récit de Césy, la sultane-mère, rajeunie par Segrais, s'éprend de Bajazet. L'eunuque Acomat joue le rôle d'entremetteur. Mais Bajazet est amoureux de Floridon, une jeune esclave de la Sultane. A l'occasion d'un évanouissement de Floridon, Roxane surprend des billets qui ne laissent aucun doute sur la nature des relations de l'esclave avec Bajazet. Un arrangement est conclu : la Sultane aura six jours de la semaine, Floridon le dernier. Malheureusement Bajazet ne respecte pas l'accord et va voir Floridon à des jours interdits. Survient un ordre du Sultan Amurat condamnant Bajazet. Il est mis à mort. Les deux femmes, réconciliées, le pleurent en commun. Il est très probable que nous avons là, à peu de choses près, ce qu'était devenue l'histoire lorsque Césy, de retour de son ambassade et entouré d'auditeurs attentifs, en faisait le récit.

Racine s'estime « obligé de changer quelques circonstances » : la sultane-mère devient la sultane favorite; Acomat est transformé en grand-vizir; Floridon s'appelle Atalide et gagne en dignité. Un seul prince est tué. Le nom d'Orcan sera utilisé pour un nouveau personnage. Les campagnes d'Érivan (1635) et de Bagdad (1638) sont fondues en une seule. Tout cela ne nous semble guère avoir d'importance, d'autant plus qu'aujourd'hui encore ces histoires obscures conduisent à des avis totalement divergents. Ainsi en est-il en ce qui concerne le rôle de la sultane-mère Kaesem (devenue la sultane favorite chez Segrais et chez Racine). A son propos, les uns parlent d' « une influence féminine qui suffit à expliquer l'abandon du massacre des princes du sang cadets » (Tapié-Préclin, *le Dix-septième Siècle*, collect. Clio). A cette affirmation étrange (trois princes tués sur quatre est un chiffre qui semble remarquable) s'oppose cette opinion : « La mère de Mourad, [...] communément appelée Kaesem, a laissé en effet le souvenir d'un caractère exceptionnellement énergique et ardent. C'est elle qui inspirait la cruelle politique de son fils » (Adam, *Histoire de la littérature française au XVIIe s.*). Ces divergences fondamentales rendent assez dérisoires les chicanes que nous verrons faire à Racine.

5. Une tragédie d'actualité

Trente-cinq années séparent les événements narrés dans *Bajazet* de la date de la représentation, mais il se trouve que la situation de l'empire turc en 1672 rappelle à beaucoup d'égards ce qui s'était passé en 1635 et 1638. C'est maintenant Mahomet IV qui règne, et il souhaite faire disparaître son frère Soliman dont il se méfie. Il a deux frères plus jeunes, Bajazet et Orcan. Ceux-ci se trouvent sous la protection de la sultane mère (qui a fait assassiner Kaesem en 1651), bien qu'ils ne soient pas ses fils. Il semble même qu'elle aime d'amour l'un d'entre eux.

Cette situation n'était pas ignorée de ceux qui lisaient la gazette rimée de Robinet. En septembre et octobre 1670, il écrit (textes cités par Jasinski, *Vers le vrai Racine*) :

[le Sultan]...
Qu'impatiemment l'on attend
De nuit et de jour à la Porte,
Mais où, comme on nous le rapporte,
Il ne se rend que lentement,
Et même avec grand armement,
Craignant que les sieurs janissaires
Ne vous lui taillent des croupières
En faveur d'un jeune frater
Qu'il a voulu ter et quater
Faire serrer à la luette
Par strangulation étrette,
Et que la Sultane défend
De la fureur de ce tyran :
Ce qui fait craindre en cette ville
Enfin une guerre civile.
Toujours, loin de Constantinople,
Le Sultan, dedans Andrinople,
Tient son domicile et sa cour,
Préférant ce dernier séjour
A l'autre, de peur des colères
De sa mère et des janissaires
Qui sans hésiter ni biaiser
Pourraient le désultaniser,
Et mettre son frère en sa place
Sans lui faire quartier ni grâce [...]
Les janissaires et spahis,
Les plus garnements du pays
Qui suit la loi mahométane,
Secondent toujours la Sultane

> Qui veut rendre son autre fils [Soliman]
> Maître à Constantinople
> Et détrôner Monsieur son frère
> Lequel est certes un faux compère
> Qui fera, s'il peut, mettre au cou
> De mère et de frère un licou.

Le 26 décembre 1671, Robinet note l'empoisonnement d'un troisième frère (peut-être Achmet) :

> Par un semblable mortifère
> Du Sultan un troisième frère
> S'est vu de même expédié.

Concluons que, pour des initiés, *Bajazet* était à la fois la Turquie éternelle et immédiatement contemporaine.

6. La représentation

La première eut lieu le 5 janvier 1672, et la pièce connut immédiatement un très grand succès. Une représentation exceptionnelle fut d'ailleurs donnée à la Cour le 22 janvier, à l'occasion des fêtes en l'honneur du mariage de Monsieur. Robinet écrit dans sa gazette, à la date du 16 janvier :

> Bajazet à turque trogne
> Triomphe à l'hôtel de Bourgogne.

Le succès est également attesté par les lettres de Mme de Sévigné qu'on lira plus loin. La publication fut presque immédiate (achevé d'imprimer du 20 février).

7. Les résistances du parti cornélien

Corneille a soixante-six ans. Il a connu l'échec de *Tite et Bérénice* face à la *Bérénice* de Racine (1670). Il prépare *Pulchérie*. Il ne va pas manquer l'occasion d'attaquer son rival et c'est lui, peut-on penser, qui donne le signal de l'attaque. Nous possédons le souvenir de ses confidences à Segrais (l'auteur de *Floridon*) :

> Étant une fois près de Corneille sur le théâtre à une représentation de *Bajazet* il me dit : « Je me garderais bien de le dire à d'autres que vous, parce qu'on me dirait que j'en parlerais par jalousie; mais prenez-y garde, il n'y a pas un seul personnage dans le *Bajazet* qui ait les sentiments qu'il doit avoir et que l'on a à Constantinople; ils ont tous, sous un habit turc, le sentiment qu'on a au milieu de la France » *(Segraisiana)*.

Robinet, le 30 janvier, fait chorus, en écrivant que Bajazet se conduit

> En Turc aussi doux qu'un François,
> En Musulman des plus courtois.

Dès le 9 janvier, avec plus de méchanceté, dans son *Mercure galant* (sorte de revue littéraire sous forme de lettres), Donneau de Visé avait glissé cette remarque : « Le sujet de cette tragédie est turc, à ce que rapporte l'auteur dans sa préface. »

8. Les fluctuations de Mme de Sévigné

Ses opinions successives constituent un précieux témoignage. Contemporaine et fanatique de Corneille, elle ne cache cependant pas son admiration spontanée pour *Bajazet*, tout en la nuançant de quelques critiques, destinées à être souvent reprises après elle. Puis, rapidement, elle adopte l'attitude du groupe littéraire vers lequel vont ses sympathies, et attribue la cause essentielle du succès de la pièce au jeu des acteurs :

Racine a fait une comédie [1] qui s'appelle *Bajazet* et qui enlève la paille [2]; vraiment elle ne va pas en *empirando* comme les autres [3]. M. de Tallard dit qu'elle est autant au-dessus de celles de Corneille que celles de Corneille sont au-dessus de celles de Boyer... Nous en jugerons par nos yeux et nos oreilles. *Du bruit de* Bajazet *mon âme importunée* [4] fait que je veux aller à la comédie (lettre du 13 janvier).

Bajazet est beau; j'y trouve quelque embarras sur la fin; il y a bien de la passion, et de la passion moins folle que celle de *Bérénice*; je trouve cependant, à mon petit sens, qu'elle ne surpasse pas *Andromaque* [...] Croyez que rien n'approchera (je ne dis pas surpassera) des divins endroits de Corneille (lettre du 15 janvier).

Voilà *Bajazet*. Si je pouvais vous envoyer la Champmeslé, vous trouveriez cette comédie belle; mais sans elle, elle perd la moitié de ses attraits (lettre du 9 mars, dans laquelle la marquise envoie à sa fille le texte de la pièce).

Vous en avez jugé juste et très bien. Je voulais vous envoyer la Champmeslé pour vous réchauffer la pièce. [...] Le personnage de Bajazet est glacé; les mœurs des Turcs y sont mal observées; ils ne font point tant de façons pour se marier; le dénouement n'est point bien préparé : on n'entre point dans les raisons de cette grande tuerie. Il y a pourtant bien des choses agréables, et rien de parfaitement beau, rien qui enlève, point de ces tirades de Corneille qui font frissonner. Ma fille, gardons-nous bien de lui comparer Racine, sentons-en la différence. Il y a des endroits froids et faibles, et jamais il n'ira plus loin qu'*Alexandre* et qu'*Andromaque*. *Bajazet* est au-dessous, au sentiment de bien des gens, et au mien, si j'ose me citer. Racine fait des comédies pour la Champmeslé : ce n'est pas pour les siècles à venir. Si jamais il n'est plus jeune, et qu'il cesse d'être amoureux, ce ne sera plus la même chose. Vive donc notre vieil ami Corneille! [...] C'est le bon goût : tenez-vous y (lettre du 16 mars).

9. La réponse de Racine

La première préface, en 1672, affirme rapidement, par l'indication des sources orales et écrites, la vérité historique de la tragédie, en même temps que sa conformité aux mœurs turques.

La seconde préface, en 1676, plus longue, témoigne de l'agacement de Racine devant les critiques dont il continuait à être l'objet. Il ajoute quelques précisions historiques, se réfère à un rapport officiel

---

1. Le mot s'emploie pour désigner une œuvre théâtrale en général. — 2. Qui est extraordinaire. — 3. Deux explications sont possibles : « elle ne continue pas la courbe descendante que décrit la carrière théâtrale du poète avec *Britannicus* et avec *Bérénice*, après avoir atteint les sommets d'*Alexandre* et d'*Andromaque* » (Picard, *la Carrière de Racine*); « ses tragédies commençaient bien, mais devenaient de plus en plus mauvaises d'acte en acte » (interprétation signalée également par Picard). — 4. Adaptation d'un vers d'*Alexandre* (acte I, sc. 2) : « Du bruit de ses exploits mon âme importunée... »

de Monsieur de Césy. Répondant ensuite à une objection qui avait dû lui être faite toujours dans le même milieu, il justifie son choix d'un sujet moderne. Un dernier paragraphe développe les lignes brèves de la préface de 1672 consacrées aux mœurs turques. Ce paragraphe disparaîtra en 1697; Corneille était mort depuis treize ans : sans doute, devant le succès, les attaques avaient-elles perdu de leur ardeur.

10. Les termes turcs dans « Bajazet »

Ils sont peu nombreux, la couleur locale résidant ailleurs (voir l'*Étude de « Bajazet »*, p. 114). Nous indiquons le sens de ceux qui reviennent le plus souvent :

Babylone, Byzance, Euxin sont employés pour : Bagdad, Constantinople et Mer Noire; aussi bien pour une raison d'euphonie que pour produire, par leur consonance « antique », un effet d'éloignement dans le temps.

Janissaires : ils constituent la garde impériale et ne sont pas sans rappeler, avec de notables différences, la garde prétorienne des empereurs romains.

Ottoman : cet adjectif n'est employé que pour désigner les descendants d'Othman, fondateur de la dynastie ottomane.

Sérail : exactement, c'est le palais dans son ensemble où siègent les services du Sultan (et non le harem, partie du palais où sont les femmes); le mot a fini par désigner le harem : ce sera le sens courant au dix-huitième siècle. Racine, qui évite *harem*, emploie le mot *Sérail* dans les deux sens.

Sultan : c'est le mot qu'utilise Racine pour désigner celui qu'on appelle aussi *Sa Hautesse* ou *le Grand Seigneur.*

Sultane : la favorite (et non l'épouse) du Sultan.

Vizir : officier du conseil du Sultan. Racine parle seulement du grand-vizir, revêtu, lors de l'absence du Sultan, d'un pouvoir quasi absolu.

SCHÉMA DE LA TRAGÉDIE

ACTE I,   **sc.** **1** A Byzance, dans une pièce retirée du Sérail, le grand-vizir Acomat, officier disgrâcié par le Sultan Amurat et réduit à des tâches administratives, écoute le rapport de son favori Osmin qui revient du front : le Sultan assiège Babylone; le sort de la guerre est en suspens. Les janissaires sont tout prêts à abandonner Amurat, s'il est vaincu. Acomat, de son côté, expose son plan : décidé à une révolte contre le Sultan, il a réussi à inspirer à la sultane favorite, détentrice du pouvoir absolu, Roxane, un amour violent pour Bajazet, frère du Sultan, que celui-ci, méfiant, maintient prisonnier dans le Sérail. Un envoyé de l'armée, apportant l'ordre d'Amurat de mettre Bajazet à mort, a été exécuté. Acomat mettra Bajazet sur le trône : pour prix de ses services, on lui a promis la main d'une princesse du sang ottoman, Atalide, qui sert d'intermédiaire entre Bajazet et Roxane.

              2 Acomat résume à Roxane ce que vient de lui apprendre Osmin. Il la presse de se déclarer pour Bajazet. Roxane annonce qu'elle tient à voir d'abord Bajazet.

              3 Roxane fait part à Atalide de ses inquiétudes : elle n'est pas certaine de l'amour de Bajazet. Elle est décidée à ne lui donner la vie et le pouvoir que si, contrairement à l'habitude des sultans, il accepte de l'épouser. Elle le verra cette fois sans utiliser Atalide comme intermédiaire.

              4 Dans une conversation avec sa confidente Zaïre, Atalide révèle qu'elle aime Bajazet et en est aimée. Mais Bajazet, qui a plus de mal qu'Atalide à tromper Roxane, risque, dans une conversation directe, de dévoiler ses sentiments. Atalide songe d'abord à prévenir Bajazet, puis décide d'attendre l'issue de l'entrevue.

ACTE II, **sc.** **1** Roxane, seule avec Bajazet, lui propose le mariage. Devant les réticences de Bajazet, elle lui met le marché en main : il l'épousera, ou il mourra. Un mot imprudent de Bajazet éveille les soupçons de Roxane.

              2 Roxane donne à Acomat l'ordre de suspendre son action.

              3 Acomat s'étonne de l'attitude toute nouvelle de Roxane. Bajazet lui révèle les exigences de la Sultane. Acomat conseille à Bajazet de promettre le mariage, et de reprendre ensuite sa promesse s'il le faut.

              4 Atalide survient; Acomat sort.

5 Atalide conseille à Bajazet d'accepter l'offre de Roxane. Elle veut le voir vivre, même avec une autre. Devant le refus de Bajazet, elle lui demande de donner quelque espoir à Roxane. Bajazet ne veut plus, ne peut plus tromper Roxane. Atalide le menace de tout dénoncer elle-même à Roxane. Bajazet désorienté va tenter de tromper Roxane une dernière fois.

ACTE III, SC. 1 Zaïre informe Atalide de l'accord qui vient de se réaliser entre Roxane et Bajazet. Atalide formule son intention de se donner la mort.

2 Acomat confirme la nouvelle de l'accord : rappelé au palais, il a pu assister à l'entrevue entre Roxane et Bajazet; par respect il s'est tenu à distance, mais il a pu voir les regards de l'un et de l'autre; Roxane lui a ordonné de préparer pour Bajazet les honneurs souverains.

3 Atalide reste seule avec Zaïre. Si elle ne proteste pas contre une situation qu'elle a souhaitée, elle s'étonne de l'aisance avec laquelle Bajazet a pu persuader Roxane. Elle se demande s'il a eu tellement à se forcer pour obtenir ce résultat.

4 Survient Bajazet : étonné des reproches d'Atalide, il lui révèle qu'il n'a guère eu le temps de parler. Sans l'entendre, Roxane s'est contentée d'espérer un mariage pour lequel elle se fie à sa reconnaissance.

5 Bajazet, exaspéré par les reproches injustes d'Atalide, s'adresse à Roxane sur un ton glacial.

6 Roxane, stupéfaite de la sortie de Bajazet, s'inquiète auprès d'Atalide. L'adresse que celle-ci met à excuser Bajazet la surprend.

7 Roxane reste seule, en proie aux soupçons.

8 Zaïre annonce l'arrivée d'Orcan, fidèle et cruel serviteur du Sultan.

ACTE IV, SC. 1 Par une lettre, Bajazet, au milieu de serments d'amour, annonce à Atalide son intention de chercher seulement à calmer Roxane : il refuse de dire qu'il l'aime.

2 Arrivée de Roxane, décidée à effrayer Atalide.

3 Roxane révèle qu'Orcan apporte l'ordre de mettre à mort Bajazet; elle annonce qu'elle obéira. Atalide s'évanouit.

4 Roxane reste seule : cet évanouissement lui ouvre les yeux. Elle décide cependant de ne rien faire et d'attendre.

5   Mais sa confidente Zatime lui apporte la lettre de Bajazet, découverte dans le sein d'Atalide. Instruite de la trahison, Roxane décide de faire périr les deux amants.

6   Elle révèle à Acomat la trahison de Bajazet. Acomat lui propose d'exécuter lui-même le traître. Roxane refuse, se réservant le soin de la vengeance.

7   Resté seul avec Osmin, Acomat le détrompe : il n'a pas eu l'intention de tuer Bajazet. Il cherche seulement la meilleure solution car il estime que tout n'est pas fini.

ACTE V,   **sc.** 1   Atalide craint que Roxane n'ait découvert la lettre.

2   Roxane arrive et fait sortir Atalide qui restera sous surveillance.

3   Roxane annonce à Zatime que tout est prêt pour la mort de Bajazet qu'elle va, une dernière fois, tenter de persuader.

4   Roxane montre à Bajazet qu'elle sait tout. Pour lui pardonner, elle exige qu'il assiste au supplice d'Atalide. Bajazet refuse. Roxane l'envoie à la mort.

5   Zatime annonce la venue d'Atalide.

6   Atalide, pour sauver Bajazet, se proclame la seule coupable.

7   Zatime annonce qu'Acomat a forcé les portes du palais.

8   Restée seule avec Atalide, Zatime ne veut rien dire.

9   Arrivée d'Acomat, à la recherche de Bajazet.

10   Zaïre annonce la mort de Roxane, tuée par Orcan.

11   Osmin confirme la mort de Roxane et révèle celle de Bajazet.

12   Restée seule avec Zaïre, Atalide se tue.

PREMIÈRE PRÉFACE (1672)

Quoique le sujet de cette tragédie ne soit encore dans aucune histoire imprimée, il est pourtant très véritable[1]. C'est une aventure arrivée dans le Sérail[2] il n'y a pas plus de trente ans[3]. M. le Comte de Césy était alors à Constantinople[4]. Il fut instruit de toutes les
5 particularités de la mort de Bajazet[5]; et il y a quantité de personnes à la cour qui se souviennent de les lui avoir entendu conter lorsqu'il fut de retour en France. M. le chevalier de Nantouillet[6] est du nombre de ces personnes. Et c'est à lui que je suis redevable de cette histoire, et même du dessein que j'ai pris d'en faire une tragédie.
10 J'ai été obligé pour cela de changer quelques circonstances[7]. Mais comme ce changement n'est pas fort considérable, je ne pense pas aussi qu'il soit nécessaire de le marquer au lecteur. La principale chose à quoi je me sois attaché, ç'a été de ne rien changer ni aux mœurs ni aux coutumes de la nation[8]. Et j'ai pris soin de ne rien
15 avancer qui ne fût conforme à l'histoire des Turcs et à la nouvelle Relation de l'Empire Ottoman, que l'on a traduite de l'anglais[9]. Surtout je dois beaucoup aux avis de Monsieur de La Haye[10], qui a eu la bonté de m'éclaircir sur toutes les difficultés que je lui ai proposées.

---

1. En réalité, de nombreux historiens, dans des œuvres antérieures à celle de Racine, avaient raconté la mort de Bajazet : la formule de Racine est donc fort étrange; ou bien il veut dissuader les lecteurs d'aller vérifier dans les histoires l'exactitude des faits; ou bien il entend par *sujet* de la tragédie, non la mort de Bajazet, mais les circonstances qui l'ont entourée, l'intrigue qui l'a accompagnée; dans ce cas, il est difficile de soutenir que le « sujet » était *très véritable* puisque finalement (en admettant que Racine considère comme dignes de foi les récits de Césy) l'essentiel du « sujet » est de l'invention de Racine : voir la note 7. —
2. Voir p. 21. Le terme est ambigu puisque l'aventure se déroule autant dans le palais du sultan (sens exact du mot *Sérail*) que dans le *harem* (second sens). — 3. Les événements datent, en fait, de 1635 et 1638 : voir p. 15. Il y avait donc trente-sept et trente-quatre ans. — 4. Voir p. 16. — 5. C'est beaucoup dire : voir p. 16-17. Mais, à supposer que tout ce que Césy a transmis au ministère fût exact, une marge sérieuse demeure entre ses propos et les *particularités de la mort de Bajazet*, telles que Racine les présente. D'où la remarque de la ligne 10. — 6. Voir p. 16. — 7. Parmi ces *circonstances :* la fusion en une seule journée des événements de 1635 et 1638; la transformation de la sultane-mère en sultane favorite; la transformation de l'esclave favorite de la sultane en princesse du sang ottoman; la rivalité imaginée entre les deux femmes; l'allure très politique donnée à l'aventure par le rôle d'Acomat. Il est difficile d'admettre (sans bien entendu reprocher à Racine d'avoir changé ce qu'il voulait) que ces changements ne sont pas considérables. M. de Césy était mort depuis vingt ans; Racine était sans aucun doute persuadé que personne n'irait vérifier dans des livres, d'ailleurs peu sûrs et éventuellement se contredisant, si son sujet était de son invention. On est plus étonné de ne pas le voir signaler Segrais (voir p. 17) : peut-être ne jugea-t-il pas convenable de citer une œuvre romanesque, même après en avoir tiré parti. — 8. Ce point est donc plus important que le précédent : Racine connaît déjà les critiques; voir p. 19. — 9. Voir p. 15. — 10. Voir p. 16.

SECONDE PRÉFACE (1676)

Sultan Amurat, ou Sultan Morat, empereur des Turcs, celui qui prit Babylone en 1638, a eu quatre frères. Le premier, c'est à savoir Osman, fut empereur avant lui, et régna environ trois ans, au bout desquels les janissaires lui ôtèrent l'empire et la vie. Le second se
5 nommait Orcan. Amurat, dès les premiers jours de son règne, le fit étrangler[1]. Le troisième était Bajazet, prince de grande espérance; et c'est lui qui est le héros de ma tragédie. Amurat, ou par politique[2], ou par amitié, l'avait épargné jusqu'au siège de Babylone. Après la prise de cette ville, le Sultan victorieux envoya un ordre à Cons-
10 tantinople pour le faire mourir[3]. Ce qui fut conduit et exécuté à peu près de la manière que je le représente. Amurat avait encore un frère, qui fut depuis le Sultan Ibrahim, et que ce même Amurat négligea comme un prince stupide, qui ne lui donnait point d'ombrage. Sultan Mahomet, qui règne aujourd'hui, est fils de cet Ibrahim,
15 et par conséquent neveu de Bajazet.

Les particularités de la mort de Bajazet ne sont encore dans aucune histoire imprimée. M. le comte de Césy[4] était ambassadeur à Constantinople lorsque cette aventure tragique arriva dans le Sérail. Il fut instruit des amours de Bajazet et des jalousies de la Sultane[5].
20 Il vit même plusieurs fois Bajazet, à qui on permettait de se promener quelquefois à la pointe du Sérail, sur le canal de la mer Noire. M. le comte de Césy disait que c'était un prince de bonne mine. Il a écrit depuis les circonstances de sa mort[6]. Et il y a encore plusieurs personnes de qualité[7] qui se souviennent de lui en avoir entendu faire
25 le récit lorsqu'il fut de retour en France.

Quelques lecteurs pourront s'étonner qu'on ait osé mettre sur la scène une histoire si récente. Mais je n'ai rien vu dans les règles du poème[8] dramatique qui dût me détourner de mon entreprise. A la vérité, je ne conseillerais pas à un auteur de prendre pour sujet
30 d'une tragédie une action aussi moderne que celle-ci, si elle s'était passée dans le pays où il veut faire représenter sa tragédie, ni de

---

1. Ce second frère est appelé par les historiens tantôt Orcan, tantôt Soliman. Il fut tué en 1635, en même temps que Bajazet. Pour des raisons de commodité faciles à comprendre, Racine l'escamote avant le temps. Il est vrai qu'il utilise son nom pour désigner un tout autre personnage. — 2. Racine choisit en fait cette première explication : Amurat épargne Bajazet parce qu'il peut, si Amurat n'a pas de fils, assurer l'avenir de la dynastie : voir

les vers 125-126. — 3. C'est après la prise d'Érivan, en 1635, que Bajazet fut exécuté : voir p. 15. — 4. Voir p. 16. — 5. Dans sa dépêche (citée p. 17), l'ambassadeur dit simplement que « la Sultane aimait chèrement [Bajazet] bien que fils d'une autre femme ». L'expression est ambiguë : elle peut signifier qu'elle l'aimait comme une mère, bien que ce ne fût pas son fils, ou qu'elle l'aimait comme Phèdre aimait Hippolyte (une Phèdre de soixante-cinq ans !). On peut penser que ces « jalousies » viennent de Segrais : voir p. 17. — 6. Sans doute dans la dépêche citée p. 17. — 7. Dans l'édition de 1697 disparaissent ici les mots *et entre autres M. le chevalier de Nantouillet* : il était mort en 1695. — 8. Œuvre littéraire en vers.

mettre des héros sur le théâtre, qui auraient été connus de la plupart
des spectateurs. Les personnages tragiques doivent être regardés
d'un autre œil que nous ne regardons d'ordinaire les personnages que
35 nous avons vus de si près [1]. On peut dire que le respect que l'on a pour
les héros augmente à mesure qu'ils s'éloignent de nous : *major e
longinquo reverentia* [2]. L'éloignement des pays répare en quelque
sorte la trop grande proximité des temps. Car le peuple ne met guère
de différence entre ce qui est, si j'ose ainsi parler, à mille ans de lui,
40 et ce qui en est à mille lieues. C'est ce qui fait, par exemple, que les
personnages turcs, quelque modernes qu'ils soient, ont de la dignité
sur notre théâtre. On les regarde de bonne heure comme anciens.
Ce sont des mœurs et des coutumes toutes différentes. Nous avons si
peu de commerce [3] avec les princes et les autres personnes qui vivent
45 dans le Sérail, que nous les considérons, pour ainsi dire [4], comme
des gens qui vivent dans un autre siècle que le nôtre.

   C'était à peu près de cette manière que les Persans étaient ancien-
nement considérés des Athéniens [5]. Aussi le poète Eschyle ne fit
point de difficulté d'introduire dans une tragédie la mère de Xerxès,
50 qui était peut-être encore vivante, et de faire représenter sur le
théâtre d'Athènes la désolation de la cour de Perse après la déroute
de ce prince. Cependant ce même Eschyle s'était trouvé en personne
à la bataille de Salamine, où Xerxès avait été vaincu. Et il s'était
trouvé encore à la défaite des lieutenants de Darius, père de Xerxès,
55 dans la plaine de Marathon; car Eschyle était homme de guerre,
et il était frère de ce fameux Cynégire dont il est tant parlé dans
l'Antiquité, et qui mourut si courageusement en attaquant un des
vaisseaux du roi de Perse.

   Je me suis attaché à bien exprimer dans ma tragédie ce que nous
60 savons des mœurs et des maximes des Turcs [6]. Quelques gens ont dit
que mes héroïnes étaient trop savantes en amour et trop délicates
pour des femmes nées parmi des peuples qui passent ici pour barbares [7]. Mais sans parler de tout ce qu'on lit dans les relations des
voyageurs, il me semble qu'il suffit de dire que la scène est dans le
65 Sérail [8]. En effet, y a-t-il une cour au monde où la jalousie et l'amour

---

   1. Affirmation capitale sur la nature du héros tragique et sur la « distance » qui doit nous
en séparer. — 2. Tacite, *Annales*, 1, 7 : « Le respect, de loin, est plus grand. ». — 3. Relations.
— 4. Voir aussi *en quelque sorte, si j'ose ainsi parler* : Racine a conscience des critiques
qu'on peut formuler contre sa position. — 5. Avec cette différence essentielle que la situation
des Athéniens en face des Perses ne rappelle en aucune manière celle des Français de 1672
en face des Turcs. La bataille de Marathon avait eu lieu en 490, celle de Salamine en 480;
la tragédie d'Eschyle *les Perses* montre la situation de la cour de Perse, et en particulier
de la reine Atossa, après Salamine; elle fut représentée en 472, soit huit ans après les événements. — 6. Racine dit : *ce que nous savons* ; il ne prétend pas, au sens strict, peindre
ce que sont exactement les mœurs des Turcs, mais ce que les hommes de son temps en
conjecturent. — 7. Excellente défense, et en même temps signe d'un état d'esprit nouveau.
— 8. Pour être exact, il faudrait dire : le *harem;* voir p. 21.

doivent être si bien connus que dans un lieu où tant de rivales sont enfermées ensemble, et où toutes ces femmes n'ont point d'autre étude, dans une éternelle oisiveté, que d'apprendre à plaire et à se faire aimer [1]? Les hommes vraisemblablement n'y aiment pas avec
70 la même délicatesse. Aussi ai-je pris soin de mettre une grande différence entre la passion de Bajazet et les tendresses de ses amantes [2]. Il garde au milieu de son amour la férocité [3] de la nation. Et si l'on trouve étrange qu'il consente plutôt de mourir que d'abandonner ce qu'il aime et d'épouser ce qu'il n'aime pas, il ne faut que lire l'his-
75 toire des Turcs. On verra partout le mépris qu'ils font de la vie. On verra en plusieurs endroits à quels excès ils portent les passions, et ce que la simple amitié [4] est capable de leur faire faire. Témoin un des fils de Soliman, qui se tua lui-même sur le corps de son frère aîné [5], qu'il aimait tendrement, et que l'on avait fait mourir pour lui
80 assurer l'empire [6].

1. Ce qui signifie aussi qu'il n'existe pas de meilleur décor que le Sérail pour les sentiments fondamentaux du théâtre de Racine. — 2. Personnes qui aiment d'amour. — 3. L'attitude farouche, ombrageuse. — 4. Affection. — 5. Le cadet s'appelait Géanger; l'aîné, Mustapha. — 6. Le dernier paragraphe disparaît dans l'édition de 1697 : voir p. 21.

● La distance des héros de tragédie

« Que me font à moi, sujet paisible d'un état monarchique du XVIIIe siècle, les révolutions d'Athènes et de Rome? quel véritable intérêt puis-je prendre à la mort d'un tyran du Péloponèse? au sacrifice d'une jeune princesse en Aulide? Il n'y a dans tout cela rien à voir pour moi, aucune moralité qui me convienne [...] La tragédie héroïque ne nous touche que par le point où elle se rapproche du genre sérieux, en nous peignant des hommes et non des rois; et [...] les sujets qu'elle met en action étant si loin de nos mœurs, et les personnages si étrangers à notre état civil, l'intérêt en est moins pressant que celui d'un drame sérieux » (Beaumarchais, *Essai sur le genre dramatique sérieux*).

« L'ancienne histoire plaît au théâtre; les malheurs illustres sont assez connus d'avance, et le temps en a effacé les suites, de façon que l'on sait où l'on va, et que l'on est séparé de son temps et de soi » (Alain, *Système des beaux-arts*).

« Il apparaît assez clairement, pour le théâtre tragique, que le poète ne cherche jamais autour de lui quelque modèle qu'il copie et mette debout dans son drame, mais qu'au contraire il fuit le modèle vivant, trouvant assez dans l'histoire, souvent la moins connue, et simplifiant encore » (Alain, *Système des beaux-arts*).

« Le théâtre nous offre [...] un cortège de malheurs, que nous regardons passer; un certain ralenti dans les actions suspend l'attente et éclaire le destin. Car ce sont d'antiques histoires que ces tragédies; ainsi nous avons solennelle promesse de survivre à ces horreurs cadencées » (Alain, *Vingt leçons sur les beaux-arts*).

① Analysez chacun de ces textes et formulez votre opinion personnelle.

Rachel dans le rôle de Roxane

Lithographie

PERSONNAGES

BAJAZET, frère du Sultan Amurat.
ROXANE, Sultane, favorite du Sultan Amurat.
ATALIDE, fille du sang ottoman [1].
ACOMAT, grand-vizir.
OSMIN, confident du grand-vizir.
ZATIME, esclave de la Sultane.
ZAÏRE, esclave d'Atalide.

La scène est à Constantinople, autrement dite Byzance, dans le Sérail du Grand Seigneur [2].

Distribution en 1672 :

BAJAZET	*Champmeslé.*
ROXANE	*Mlle d'Ennebaut.*
ATALIDE	*Mlle Champmeslé* (femme de Champmeslé).
ACOMAT	*La Fleur.*
OSMIN	*Hauteroche.*
ZATIME	*Mlle Brécourt.*
ZAÏRE	*Mlle Poisson.*

L'attribution du rôle d'Atalide à Mlle Champmeslé est attestée par un passage d'une lettre de Mme de Sévigné, qui parle des « manœuvres de la Champmeslé pour conserver tous ses amants, sans préjudice des rôles d'Atalide, de Bérénice ou de Phèdre » (lettre du 24 août 1689).

Le rôle de Roxane fut, au cours des siècles, interprété en particulier par Adrienne Lecouvreur, Mlle Clairon, Mlle Raucourt, Mlle Duchesnois, Mlle Rachel, Mme Segond-Weber.

---

1. Pour le sens du mot *ottoman*, voir p. 21. — 2. Pour le *Sérail*, voir p. 21.

BAJAZET

TRAGÉDIE REPRÉSENTÉE POUR LA PREMIÈRE FOIS A PARIS
SUR LE THÉÂTRE DE L'HOTEL DE BOURGOGNE
LE 16ᵉ DU MOIS DE JANVIER 1672

ACTE PREMIER

Scène première. — ACOMAT, OSMIN.

ACOMAT. — Viens, suis-moi. La Sultane en ce lieu se doit rendre.
Je pourrai cependant[1] te parler et t'entendre[2].

OSMIN. — Et depuis quand, Seigneur, entre-t-on dans ces lieux
Dont l'accès était même interdit à nos yeux?
[5] Jadis une mort prompte eût suivi cette audace.

ACOMAT. — Quand tu seras instruit de tout ce qui se passe,
Mon entrée en ces lieux ne te surprendra plus.
Mais laissons, cher Osmin, les discours superflus.
Que ton retour tardait à mon impatience!
[10] Et que d'un œil content[3] je te vois dans Byzance!
Instruis-moi des secrets que peut t'avoir appris
Un voyage si long, pour moi seul entrepris.
De ce qu'ont vu tes yeux parle en témoin sincère :
Songe que du récit, Osmin, que tu vas faire,
[15] Dépendent les destins de l'empire ottoman.
Qu'as-tu vu dans l'armée, et que fait le Sultan?

OSMIN. — Babylone, Seigneur, à son prince fidèle,
Voyait sans s'étonner[4] notre armée autour d'elle;
Les Persans rassemblés marchaient à son secours,
[20] Et du camp d'Amurat s'approchaient tous les jours.
Lui-même, fatigué d'un long siège inutile,
Semblait vouloir laisser Babylone tranquille;
Et, sans renouveler ses assauts impuissants,
Résolu de combattre, attendait les Persans.
[25] Mais, comme vous savez, malgré ma diligence[5],
Un long chemin sépare et le camp et Byzance[6];
Mille obstacles divers m'ont même traversé[7],
Et je puis ignorer tout ce qui s'est passé.

---

1. *Pendant ce* temps-là. — 2. Indication des deux parties de la scène : vers 17-74, 75-209. — 3. Satisfait. — 4. Sens très fort : subir une violente émotion, soit par crainte (comme ici), soit par surprise, soit par admiration. — 5. Rapidité. — 6. Environ 1 600 kilomètres, par voie de terre. — 7. *Traverser :* « Empêcher de faire quelque chose en suscitant des obstacles » (*Dict. de l'Acad.*, 1694).

ACOMAT. — Que faisaient cependant nos braves janissaires?
30 Rendent-ils au Sultan des hommages sincères?
Dans le secret des cœurs, Osmin, n'as-tu rien lu?
Amurat jouit-il d'un pouvoir absolu?

OSMIN. — Amurat est content, si nous le voulons croire,
Et semblait se promettre une heureuse victoire.
35 Mais en vain par ce calme il croit nous éblouir [1];
Il affecte [2] un repos dont il ne peut jouir.
C'est en vain que, forçant [3] ses soupçons ordinaires,
Il se rend accessible à tous les janissaires :
Il se souvient toujours que son inimitié
40 Voulut de ce grand corps retrancher la moitié,
Lorsque, pour affermir sa puissance nouvelle,
Il voulait, disait-il, sortir de leur tutelle.
Moi-même j'ai souvent entendu leurs discours;
Comme [4] il les craint sans cesse, ils le craignent toujours.
45 Ses caresses [5] n'ont point effacé cette injure [6].
Votre absence est pour eux un sujet de murmure [7] :
Ils regrettent le temps, à leur grand cœur [8] si doux,
Lorsqu'assurés de vaincre ils combattaient sous vous.

ACOMAT. — Quoi! tu crois, cher Osmin, que ma gloire passée
50 Flatte [9] encor leur valeur et vit dans leur pensée?
Crois-tu qu'ils me suivraient encore avec plaisir,
Et qu'ils reconnaîtraient la voix de leur vizir?

OSMIN. — Le succès [10] du combat réglera leur conduite :
Il faut voir du Sultan la victoire ou la fuite.
55 Quoique à regret, Seigneur, ils marchent sous ses lois,
Ils ont à soutenir [11] le bruit [12] de leurs exploits;
Ils ne trahiront point [13] l'honneur de tant d'années.
Mais enfin le succès [14] dépend des destinées.
Si l'heureux [15] Amurat, secondant [16] leur grand cœur [17],
60 Aux champs [18] de Babylone est déclaré vainqueur,
Vous les verrez, soumis, rapporter dans Byzance
L'exemple d'une aveugle et basse obéissance.
Mais si, dans le combat, le destin plus puissant
Marque de quelque affront [19] son empire naissant,

---

1. Tromper. — 2. Feint. — 3. Faisant violence à. — 4. Comparatif et non causal. — 5. « Démonstrations d'amitié ou de bienveillance » (*Dict.* de Furetière, 1690). — 6. Injustice : lat. *injuria.* — 7. Mécontentement. — 8. Courage. — 9. Fait plaisir à. — 10. Le résultat, aussi bien en bonne qu'en mauvaise part. — 11. Être dignes de. — 12. La réputation. — 13. Ils n'agiront pas contre. — 14. Voir la n. 10. — 15. Emploi très particulier de l'épithète : Amurat sera *heureux* s'il est déclaré vainqueur. — 16. Imitant, égalant, aidant. — 17. Voir la n. 8. — 18. Le lieu où se livre une bataille. — 19. Déshonneur.

[65] S'il fuit, ne doutez point que, fiers [1] de sa disgrâce [2],
A la haine bientôt ils ne joignent l'audace,
Et n'expliquent, Seigneur, la perte du combat
Comme un arrêt du Ciel qui réprouve [3] Amurat.
Cependant, s'il en faut croire la renommée,
[70] Il a depuis trois mois fait partir de l'armée
Un esclave chargé de quelque ordre secret.
Tout le camp interdit [4] tremblait pour Bajazet :
On craignait qu'Amurat, par un ordre sévère,
N'envoyât demander la tête de son frère.

---

1. Rendus farouches par : lat. *ferus*. — 2. Son malheur. — 3. Condamne. — 4. Troublé.

- ● **Le ressort dramatique**

① La destinée des personnages dépend de la victoire ou de la défaite d'Amurat. Comment Osmin, *témoin sincère* (v. 13), présente-t-il la situation d'Amurat de telle manière que rien ne puisse en être conclu? Quels sont les éléments de son rapport qui peuvent encourager Acomat? Ceux qui devraient l'inquiéter? Que suggère en particulier le changement de temps dans les verbes qu'il emploie? De nombreux critiques n'ont pas admis le verbe *semblait* du vers 34; Louis Racine y a substitué *semble;* que pensez-vous de cette discussion?

② Victoire ou défaite dépendent du destin. Relevez les expressions par lesquelles Osmin met en valeur le rôle du destin.

- ● **La technique**

③ La situation est-elle exposée avec naturel? A quel sentiment d'Osmin répondent les deux premiers vers de la tragédie? Les passages d'un interlocuteur à l'autre sont-ils naturels? Pourquoi Acomat ne répond-il pas à la question d'Osmin (v. 6-8)?

- ● **L'atmosphère turque**

④ Comment est-elle suggérée dès cette première partie de la scène? Comment s'impose, en particulier, l'idée du fatalisme musulman?

- ● **Racine et l'histoire** — En 1623, les janissaires massacrent le Sultan Osman et ils placent Amurat sur le trône; en 1626, 1628, ils se révoltent; en 1631, ils menacent de renverser Amurat au profit de Bajazet.
Le vers 74 doit être pris au sens propre : « On envoie auprès de lui [un vizir disgrâcié] un Capidgi, lequel, l'ayant atteint, lui montre l'ordre qu'il a de couper sa tête [...]. Le capidgi l'ayant étranglé, ou fait étrangler par les valets qu'il mène exprès, lui coupe la tête et la porte à Constantinople » (Thévenot).

ACOMAT. — 75 Tel était son dessein : cet esclave est venu ;
Il a montré son ordre et n'a rien obtenu.

OSMIN. — Quoi, Seigneur ! le Sultan reverra son visage,
Sans que de vos respects il lui porte ce gage[1] ?

ACOMAT. — Cet esclave n'est plus. Un ordre, cher Osmin,
80 L'a fait précipiter dans le fond de l'Euxin.

OSMIN. — Mais le Sultan, surpris d'une trop longue absence,
En cherchera bientôt la cause et la vengeance[2].
Que lui répondrez-vous ?

ACOMAT. — Peut-être avant ce temps
Je saurai l'occuper de soins[3] plus importants.
85 Je sais bien qu'Amurat a juré ma ruine[4] ;
Je sais à son retour l'accueil qu'il me destine.
Tu vois, pour m'arracher du cœur de ses soldats,
Qu'il va chercher sans moi les sièges, les combats :
Il commande l'armée ; et moi, dans une ville,
90 Il me laisse exercer un pouvoir inutile.
Quel emploi, quel séjour, Osmin, pour un vizir !
Mais j'ai plus dignement employé ce loisir :
J'ai su lui préparer des craintes et des veilles ;
Et le bruit en ira bientôt à ses oreilles.

OSMIN. — 95 Quoi donc ? qu'avez-vous fait ?

ACOMAT. — J'espère qu'aujourd'hui
Bajazet se déclare[5], et Roxane avec lui.

OSMIN. — Quoi ! Roxane, Seigneur, qu'Amurat a choisie
Entre tant de beautés dont l'Europe et l'Asie
Dépeuplent leurs États et remplissent sa cour ?
100 Car on dit qu'elle seule a fixé son amour ;
Et même il a voulu que l'heureuse Roxane,
Avant qu'elle eût un fils, prît le nom de Sultane[6].

ACOMAT. — Il a fait plus pour elle, Osmin : il a voulu
Qu'elle eût dans son absence un pouvoir absolu.
105 Tu sais de nos sultans les rigueurs ordinaires :
Le frère rarement laisse jouir ses frères
De l'honneur dangereux d'être sortis d'un sang
Qui les a de trop près approchés de son rang.

---

1. Le *gage* étant la tête de Bajazet, le rapprochement est saisissant, souligné par la rime avec *visage*. — 2. La construction est audacieuse, les deux compléments étant sur des plans différents. — 3. Soucis. — 4. Le mot a un sens très étendu : perte du crédit, de l'honneur, du pouvoir, de la vie. — 5. Annonce ses intentions. — 6. Rycaut dit bien que, si une favorite « est assez heureuse pour avoir conçu, elle est solennellement couronnée d'une petite couronne d'or », mais Racine ne veut pas dire que Roxane se trouve dans cette situation : voir p. 122, sujet n° 3.

L'imbécile [1] Ibrahim, sans craindre sa naissance,
110 Traîne [2], exempt de péril, une éternelle enfance.
Indigne également de vivre et de mourir,
On l'abandonne aux mains qui daignent le nourrir [3].
L'autre, trop redoutable, et trop digne d'envie,
Voit sans cesse Amurat armé contre sa vie.
115 Car enfin Bajazet dédaigna de tout temps
La molle oisiveté des enfants des sultans.
Il vint chercher la guerre au sortir de l'enfance,
Et même en fit sous moi la noble expérience.
Toi-même, tu l'as vu courir dans les combats,
120 Emportant [4] après lui tous les cœurs des soldats,
Et goûter, tout sanglant, le plaisir et la gloire
Que donne aux jeunes cœurs la première victoire.

---

1. L'adjectif indique une faiblesse morale ou physique, sans caractère injurieux; c'est le sens du latin *imbecillus*. — 2. Le verbe se dit du temps, de la vie, qu'on passe péniblement. — 3. Par un juste retour des choses, c'est Ibrahim qui succédera à Amurat. — 4. Entraînant.

- **Poésie et vérité** —- Ce que Racine dit d'Ibrahim (v. 109) est confirmé par tous les historiens ou chroniqueurs; ainsi Mézeray dit d'Amurat : « Sa cruauté avait fait massacrer ses deux frères, Orcan et Bajazet, n'ayant pardonné qu'à Ibrahim parce qu'il lui semblait imbécile d'esprit. »
  En revanche, le passé guerrier et le tempérament belliqueux de Bajazet (v. 115, et surtout 117) sont une invention de Racine.
  ① Pourquoi Racine a-t-il ainsi modifié le personnage?

- **Technique**
  ② A partir du vers 75, la parole passe à Acomat. Ce passage s'effectue-t-il naturellement? Par quel biais? En étudiant les vers 75-83, notez comment sont amenées les révélations d'Acomat.
  ③ Il va y avoir beaucoup de *quoi* dans les interventions d'Osmin. Ce que dit Acomat justifie-t-il ces étonnements?
  ④ Étudiez l'ordre suivi par Acomat dans cet exposé. Notez la présentation de trois personnages essentiels.
  Le détail de l'esclave exécuté (v. 79) est destiné à annoncer une péripétie capitale de l'acte IV : l'arrivée d'Orcan. On trouvera, tout au long de la tragédie, d'autres annonces de ce genre : il s'agit d'un élément important de la technique dramatique de Racine. Acomat est peut-être rassuré; le spectateur ne l'est pas.

- **Couleur locale**
  ⑤ Notez comment Acomat, en présentant la situation, fait un tableau complet, mais allusif, de la vie turque.

- **Acomat**
  ⑥ Que révèlent les vers 86-94 sur les mobiles d'Acomat? Quelle sorte d'homme est-il d'abord?

Mais, malgré ses soupçons, le cruel Amurat,
Avant qu'un fils naissant[1] eût rassuré l'État,
125 N'osait sacrifier ce frère à sa vengeance,
Ni du sang ottoman[2] proscrire[3] l'espérance.
Ainsi donc pour un temps Amurat désarmé
Laissa dans le Sérail Bajazet enfermé.
Il partit et voulut que, fidèle à sa haine,
130 Et des jours de son frère arbitre souveraine[4],
Roxane, au moindre bruit[5], et sans autres raisons,
Le fît sacrifier à ses[6] moindres soupçons.
Pour moi, demeuré seul, une juste colère
Tourna bientôt mes vœux du côté de son frère.
135 J'entretins la Sultane et, cachant mon dessein,
Lui montrai d'Amurat le retour incertain,
Les murmures[7] du camp, la fortune[8] des armes ;
Je plaignis Bajazet ; je lui vantai ses charmes,
Qui, par un soin jaloux dans l'ombre retenus,
140 Si voisins de ses yeux leur étaient inconnus.
Que te dirai-je enfin ? La Sultane éperdue[9]
N'eut plus d'autres désirs que celui de sa vue.

OSMIN. — Mais pouvaient-ils tromper tant de jaloux[10] regards
Qui semblent mettre entre eux d'invincibles remparts ?

ACOMAT. -145 Peut-être il te souvient qu'un récit peu fidèle
De la mort d'Amurat fit courir la nouvelle[11].
La Sultane, à ce bruit[12] feignant de s'effrayer,
Par des cris douloureux eut soin de l'appuyer.
Sur la foi[13] de ses pleurs ses esclaves tremblèrent ;
150 De l'heureux[14] Bajazet les gardes se troublèrent ;
Et les dons achevant d'ébranler leur devoir,
Leurs captifs dans ce trouble osèrent s'entrevoir[15].
Roxane vit le prince ; elle ne put lui taire
L'ordre dont elle seule était dépositaire.
155 Bajazet est aimable[16] ; il vit que son salut
Dépendait de lui plaire, et bientôt il lui plut.

---

1. La naissance d'un fils. — 2. *Ottoman*, au sens particulier qu'il a constamment dans la pièce, signifie : descendant d'Othman, fondateur de la dynastie turque. — 3. Condamner à mort celui qui représente *l'espérance* de la dynastie. — 4. Le mot *arbitre* (souveraine absolue) est renforcé par le pléonasme que constitue l'adjonction de l'épithète. — 5. A la

moindre nouvelle. — 6. Noter le jeu subtil des possessifs dans tout ce passage. — 7. Voir p. 32, n. 7. — 8. Les hasards. — 9. Folle d'amour. — 10. Qui font obstacle. — 11. « Le 7 d'avril 1639 mourut Sultan Mustapha, oncle d'Amurat [...]. Cette mort mal entendue donna lieu au faux bruit de celle du Grand Seigneur Amurat, qu'on prenait pour ce sultan » (Baudier). — 12. Voir la n. 5. — 13. En se fiant au témoignage. — 14. Voir p. 32, n. 15. — 15. Avoir une rapide entrevue, se rendre visite. — 16. Digne d'être aimé.

Tout conspirait[1] pour lui. Ses soins[2], sa complaisance[3],
Ce secret découvert et cette intelligence[4],
Soupirs[5] d'autant plus doux qu'il les fallait celer[6],
160 L'embarras irritant de ne s'oser parler,
Même témérité, périls, craintes communes,
Lièrent pour jamais leurs cœurs et leurs fortunes[7].
Ceux mêmes dont les yeux les devaient[8] éclairer[9],
Sortis de leur devoir n'osèrent y rentrer.

OSMIN. 165 Quoi ! Roxane, d'abord[10] leur découvrant son âme,
Osa-t-elle à leurs yeux faire éclater sa flamme ?

ACOMAT. — Ils l'ignorent encore ; et jusques à ce jour,
Atalide a prêté son nom à cet amour.
Du père d'Amurat Atalide est la nièce ;
170 Et même avec ses[11] fils partageant sa tendresse,
Elle a vu son enfance élevée avec eux.
Du prince, en apparence, elle reçoit les vœux ;
Mais elle les reçoit pour les rendre à Roxane,
Et veut bien, sous son nom, qu'il aime la Sultane.
175 Cependant, cher Osmin, pour s'appuyer[12] de moi,
L'un et l'autre ont promis Atalide à ma foi[13].

---

1. Concourait. — 2. Attentions. — 3. Désir de plaire. — 4. Complicité. — 5. Noter l'étrange apposition. — 6. Cacher. — 7. Destinées. — 8. Auraient dû : emploi latin de l'indicatif pour le conditionnel. — 9. Espionner. — 10. Aussitôt. — 11. Pour les possessifs, voir p. 36, n. 6. — 12. Se servir *de moi* comme d'un appui. — 13. Fidélité à l'engagement donné.

■■■

● **Deux opinions divergentes sur les vers 145-164**

« Ce morceau est un de ceux que Voltaire répétait avec le plus de plaisir et qu'il nous faisait admirer le plus dans cette scène, où tout lui paraissait admirable » (La Harpe).

« Au lieu d'une explication nette et circonstanciée de la rencontre, comme tout cela est touché avec précaution ! comme le mot propre est habilement évincé ! *les esclaves tremblèrent ! les gardes se troublèrent !* Que d'efforts en pure perte ! Que d'élégances déplacées dans la bouche sévère du grand-vizir ! » (Sainte-Beuve).

① En opposant ces deux opinions, recherchez si l'enchaînement des circonstances, des événements, des sentiments, est exprimé avec naturel.

● **Caractères**

② Relevez les traits qui complètent le caractère d'ACOMAT ; notez particulièrement les vers 133-134.

③ Comment est annoncé le tempérament de ROXANE ? Étudiez les vers 141-142 et 156.

④ Que révèlent les vers 155-156 sur BAJAZET ?

■■■

OSMIN. — Quoi! vous l'aimez, Seigneur?

ACOMAT. — Voudrais-tu qu'à mon âge [1]
Je fisse de l'amour le vil apprentissage?
Qu'un cœur qu'ont endurci la fatigue et les ans
180 Suivît d'un vain plaisir les conseils imprudents?
C'est par d'autres attraits qu'elle plaît à ma vue :
J'aime en elle le sang dont elle est descendue.
Par elle Bajazet, en m'approchant de lui,
Me va contre lui-même assurer un appui.
185 Un vizir aux sultans fait toujours quelque ombrage [2];
A peine ils l'ont choisi qu'ils craignent leur ouvrage.
Sa dépouille [3] est un bien qu'ils veulent recueillir,
Et jamais leurs chagrins [4] ne nous laissent vieillir.
Bajazet aujourd'hui m'honore et me caresse [5];
190 Ses périls tous les jours réveillent sa tendresse [6].
Ce même Bajazet, sur le trône affermi,
Méconnaîtra [7] peut-être un inutile ami.
Et moi, si mon devoir, si ma foi [8] ne l'arrête,
S'il ose quelque jour me demander ma tête...
195 Je ne m'explique point, Osmin, mais je prétends
Que du moins il faudra la demander longtemps.
Je sais rendre aux sultans de fidèles services;
Mais je laisse au vulgaire adorer leurs caprices,
Et ne me pique point du scrupule insensé
200 De bénir mon trépas quand ils l'ont prononcé.
Voilà donc de ces lieux ce qui m'ouvre l'entrée,
Et comme enfin Roxane à mes yeux s'est montrée.
Invisible d'abord elle entendait ma voix [9],
Et craignait du Sérail les rigoureuses lois;
205 Mais enfin, bannissant cette importune [10] crainte,
Qui dans nos entretiens jetait trop de contrainte,
Elle-même a choisi cet endroit écarté,
Où nos cœurs à nos yeux parlent en liberté.
Par un chemin obscur une esclave me guide [11],
210 Et... Mais on vient : c'est elle et sa chère Atalide.
Demeure; et, s'il le faut, sois prêt à confirmer
Le récit important dont je vais l'informer.

---

1. Cet *âge* n'est nulle part précisé. — 2. Provoque la défiance. — 3. Succession. — 4. Irritations, mouvements de mécontentement. — 5. Flatte. — 6. Sentiment d'affection. — 7. Désavouera, se montrera ingrat envers. — 8. Loyauté. — 9. Probablement à travers une jalousie. — 10. Gênante. — 11. Acomat connaît *les détours* du sérail (v. 1424) mais il ne connaît pas le harem.

● **Racine et l'histoire**

Vers 187 : un vizir, étranglé en 1631, « laissa la valeur de trois millions d'or, en argent et en meubles, qui, selon la coutume du pays, furent portés dans les coffres du Grand Seigneur » (Mézeray).

Vers 185 : « Comme la charge de premier vizir est la plus élevée et la plus considérable de l'Empire, aussi est-elle la plus exposée [...]. On raconte d'étranges histoires, confirmées par des témoins oculaires, de l'élévation et de la chute subite et imprévue de ceux qui en ont été revêtus [...]. Les uns n'ont possédé cette charge que peu de jours, d'autres un mois, quelques-uns un an, et quelques autres deux ou trois mois [...]. Ç'a toujours été la destinée des favoris des princes barbares de ne vivre pas longtemps » (Rycaut).

Vers 198-200 : les vizirs « croient mourir bien heureux quand ils meurent par l'ordre du prince [...]. Toutefois ils commencent depuis quelque temps à se détromper de ce prétendu martyre ; car on ne voit plus qu'ils reçoivent d'un visage serein de telles nouvelles » (Thévenot).

« Miné par des révoltes continuelles en Anatolie [...] par l'indiscipline des janissaires préposés à sa défense, par la rapacité des fonctionnaires, les intrigues de harem, le gouvernement de la sultane favorite et du grand-vizir, le recours constant aux assassinats et aux exécutions, ce n'est que par à-coups que l'empire turc parvient à se maintenir » (Cagnac, Saint-Léger, *la Prépondérance française*, collect. « Peuples et Civilisations »).

① La situation de l'empire turc, telle qu'elle est résumée par Racine dans cette scène, correspond-elle à cette observation d'historiens de notre époque ?

● **Exposition** — Cette scène est, de loin, la plus longue scène d'exposition du théâtre racinien. La complexité de la situation explique cette longueur.

② Appréciez cette opinion de Voltaire, comparant l'exposition de *Bajazet* à celle de la *Rodogune* de Corneille : « Voyez l'exposition de *Bajazet* : il y avait autant de préliminaires dont il fallait parler. Cependant, quelle netteté ! comme tous les caractères sont annoncés ! avec quelle heureuse facilité tout est développé ! » (*Commentaire sur Corneille*). Une exposition doit mettre en place les éléments essentiels du drame, en laissant assez d'obscurité pour que tout soit possible.

③ Relevez les traits qui montrent que le plan, apparemment sans failles, d'Acomat, se fonde sur une analyse parfois subtile (v. 158-162) mais finalement extérieure, d'un sentiment dont il n'a jamais fait *le vil apprentissage* (v. 178). N'y a-t-il pas un caractère dont il ne semble tenir aucun compte, un personnage qui ne semble jouer que le rôle d'une utilité ? Appréciez l'habileté de Racine à ce sujet : l'habileté technique (le spectateur ne se doute pas du rôle d'Atalide) et l'habileté psychologique (Acomat ne peut connaître l'amour) vont ici de pair.

● **Acomat**

④ Que pensez-vous de sa conception de la fidélité ? Quel âge lui donnez-vous ? Rapprochez les vers 177 et 188. Pourquoi sa phrase est-elle interrompue au vers 194 ? Craint-il des auditeurs possibles ? Se méfie-t-il du fidèle Osmin ? Est-il certain lui-même de ce qu'il ferait ?

SCÈNE II. — ROXANE, ATALIDE, ZATIME,
ZAÏRE, ACOMAT, OSMIN.

ACOMAT. — La vérité s'accorde avec la renommée,
Madame. Osmin a vu le Sultan et l'armée.
215 Le superbe[1] Amurat est toujours inquiet;
Et toujours tous les cœurs penchent vers Bajazet :
D'une commune voix ils l'appellent au trône.
Cependant les Persans marchaient vers Babylone,
Et bientôt les deux camps au pied de son rempart
220 Devaient de la bataille éprouver le hasard[2].
Ce combat doit, dit-on, fixer nos destinées;
Et même, si d'Osmin je compte les journées[3],
Le Ciel en a déjà réglé l'événement[4],
Et le Sultan triomphe ou fuit en ce moment.
225 Déclarons-nous, Madame, et rompons le silence :
Fermons-lui dès ce jour les portes de Byzance :
Et sans nous informer s'il triomphe ou s'il fuit,
Croyez-moi, hâtons-nous d'en prévenir le bruit[5].
S'il fuit, que craignez-vous? S'il triomphe, au contraire,
230 Le conseil[6] le plus prompt est le plus salutaire.
Vous voudrez, mais trop tard, soustraire à son pouvoir
Un peuple dans ses murs prêt à le recevoir.
Pour moi, j'ai su déjà, par mes brigues[7] secrètes,
Gagner de notre loi les sacrés interprètes[8] :
235 Je sais combien, crédule en sa dévotion,
Le peuple suit le frein de la religion.
Souffrez que Bajazet voie enfin la lumière :
Des murs de ce palais ouvrez-lui la barrière;
Déployez en son nom cet étendard fatal[9],
240 Des extrêmes périls l'ordinaire signal.
Les peuples, prévenus[10] de ce nom favorable[11],
Savent que sa vertu[12] le rend seule coupable.
D'ailleurs un bruit confus, par mes soins confirmé,
Fait croire heureusement à ce peuple alarmé[13]
245 Qu'Amurat le dédaigne et veut loin de Byzance
Transporter désormais son trône et sa présence.

---

1. Orgueilleux : lat. *superbus.* — 2. Risque. — 3. Étapes. — 4. L'issue. — 5. La nouvelle. — 6. La décision. — 7. Intrigues. — 8. Le mufti et les ulémas. — 9. *L'étendard* de Mahomet. — 10. Bien disposés envers. — 11. Sympathique, estimé. — 12. Son courage. — 13. Qui en est *alarmé :* voir p. 32, n. 15.

Déclarons [1] le péril dont son frère est pressé :
Montrons l'ordre cruel qui vous fut adressé;
Surtout qu'il se déclare et se montre lui-même,
250 Et fasse voir ce front digne du diadème.

ROXANE. — Il suffit. Je tiendrai tout ce que j'ai promis.
Allez, brave Acomat, assembler vos amis;
De tous leurs sentiments venez me rendre compte;
Je vous rendrai moi-même une réponse prompte.
255 Je verrai Bajazet. Je ne puis dire rien,
Sans savoir si son cœur s'accorde avec le mien.
Allez, et revenez.

---

1. Révélons.

■■

● **Le rapport d'Acomat**

① En en relevant le plan, notez la nature des divers arguments, l'ordre dans lequel ils sont présentés, l'importance donnée à chacun.

② Ce rapport résume-t-il exactement ce qu'a dit Osmin? Rapprochez en particulier les vers 215 et 33-44, 216-217 et 72-74. Les conseils pressants d'Acomat sont fondés sur le vers 223 : par quoi est-il justifié? Certaines informations données par Osmin sont-elles passées sous silence? Relisez en particulier les vers 55-62.

③ Notez le fréquent retour d'un mot destiné à donner, au conflit qui oppose sur la scène un petit groupe de personnages, l'arrière-plan de la ville entière. Le pluriel du vers 241 n'est-il dû qu'à une nécessité grammaticale?

④ Par quel procédé Acomat tente-t-il de lier l'action de Roxane et la sienne? Distinguez, dans cette perspective, trois groupes de vers : 225-228; 237-240; 247-248.

● **Roxane** — C'est « l'entrée » du personnage.

⑤ Quels éléments de son caractère sont immédiatement mis en lumière? La sortie silencieuse d'Acomat est-elle, par le fait même, naturelle? Le vers 104 se trouve-t-il justifié? Quels sont, dans les deux derniers vers d'Acomat, les mots qui déclenchent le *il suffit* de Roxane? La répétition de *allez* (v. 252 et 257) ne suggère-t-elle pas un jeu de scène?

● **Le « tempo » tragique**

⑥ « Il faut que l'on sente toujours la marche des heures, et la nécessité extérieure qui presse les passions et les mûrit plus vite qu'elles ne voudraient » (Alain, *Système des beaux-arts*). Appliquez cette formule à cette scène qui marque le véritable début de l'action. La règle de l'unité de temps n'est-elle pas ainsi naturellement justifiée? En même temps, par ses conseils, Acomat n'est-il pas l'auteur de sa propre perte?

■■

Scène III. — ROXANE, ATALIDE, ZATIME, ZAÏRE.

ROXANE. —   Enfin, belle Atalide,
Il faut de nos destins que Bajazet décide.
Pour la dernière fois je le vais consulter :
260 Je vais savoir s'il m'aime.

ATALIDE. —   Est-il temps d'en douter,
Madame? Hâtez-vous d'achever votre ouvrage.
Vous avez du Vizir entendu le langage;
Bajazet vous est cher : savez-vous si demain
Sa liberté, ses jours, seront en votre main?
265 Peut-être en ce moment Amurat en furie [1]
S'approche pour trancher une si belle vie.
Et pourquoi de son cœur doutez-vous aujourd'hui?

ROXANE. — Mais m'en répondez-vous, vous qui parlez pour lui?

ATALIDE. — Quoi! Madame, les soins [2] qu'il a pris pour vous plaire,
270 Ce que vous avez fait, ce que vous pouvez faire,
Ses périls, ses respects, et surtout vos appas [3],
Tout cela de son cœur ne vous répond-il pas?
Croyez que vos bontés [4] vivent dans sa mémoire.

ROXANE. — Hélas! pour mon repos que ne le puis-je croire?
275 Pourquoi faut-il au moins que pour me consoler
L'ingrat ne parle pas comme on le fait parler?
Vingt fois, sur vos discours pleine de confiance,
Du trouble de son cœur jouissant par avance,
Moi-même j'ai voulu m'assurer de sa foi [5],
280 Et l'ai fait en secret amener devant moi [6].
Peut-être trop d'amour me rend trop difficile;
Mais, sans vous fatiguer d'un récit inutile,
Je ne retrouvais point ce trouble, cette ardeur,
Que m'avait tant promis un discours trop flatteur.
285 Enfin, si je lui donne et la vie et l'Empire,
Ces gages incertains ne me peuvent suffire.

ATALIDE. — Quoi donc? à son amour qu'allez-vous proposer?

ROXANE. — S'il m'aime, dès ce jour il me doit épouser [7].

---

1. Fureur. — 2. Le mot se dit particulièrement des assiduités rendues à une personne qu'on aime; mais il se dit aussi dans le sens plus général des attentions qu'on a pour quelqu'un. Il est ici volontairement ambigu. — 3. Vos attraits. — 4. En parlant d'une femme, ce sont les sentiments tendres dont elle témoigne pour celui qu'elle aime; mais le mot a aussi le sens plus général d'actes de bienveillance : même ambiguïté qu'au vers 269. — 5. Sincérité. — 6. Excellent exemple de la manière dont Racine suggère l'atmosphère du Sérail. — 7. Étant donné les informations fournies par Acomat, la décision de Roxane est naturelle : ainsi se trouve justifié le respect de l'unité de temps.

ATALIDE. — Vous épouser! O Ciel! que prétendez-vous faire?

ROXANE. —290 Je sais que des sultans l'usage m'est contraire [1];
Je sais qu'ils se sont fait une superbe [2] loi
De ne point à l'hymen assujettir leur foi [3].
Parmi tant de beautés qui briguent [4] leur tendresse [5],
Ils daignent quelquefois choisir une maîtresse [6];
295 Mais toujours inquiète avec tous ses appas,
Esclave, elle reçoit son maître dans ses bras;
Et, sans sortir du joug où [7] leur loi [8] la condamne,
Il faut qu'un fils naissant [9] la déclare Sultane.
Amurat, plus ardent, et seul jusqu'à ce jour,
300 A voulu que l'on dût ce titre à son amour.
J'en reçus la puissance aussi bien que le titre,
Et des jours de son frère il me laissa l'arbitre [10].
Mais ce même Amurat ne me promit jamais
Que l'hymen dût un jour couronner ses bienfaits.
305 Et moi, qui n'aspirais qu'à cette seule gloire,
De ses autres bienfaits j'ai perdu la mémoire.
Toutefois, que sert-il de me justifier?
Bajazet, il est vrai, m'a tout fait oublier.
Malgré tous ses malheurs, plus heureux que son frère,
310 Il m'a plu, sans peut-être aspirer à me plaire [11] :
Femmes [12], gardes [13], vizir, pour lui j'ai tout séduit;
En un mot, vous voyez jusqu'où je l'ai conduit.

---

1. S'oppose à moi. — 2. Orgueilleuse. — 3. *De ne point* promettre le mariage. — 4. Recherchent avec ardeur. — 5. Cf. *Britannicus*, v. 1125 : « Parmi tant de beautés qui briguèrent son choix ». — 6. Femme aimée d'un amour légitime; fiancée; femme avec laquelle on entretient une liaison illégitime (sens moderne). Le mot a tous ces sens dans la langue classique : il est évident qu'il eût fallu à Racine un mot spécial pour rendre la situation de favorite. — 7. Dans la langue classique, *où* peut équivaloir à un relatif construit avec une préposition. — 8. La *loi* des sultans. — 9. Voir p. 36, n. 1. — 10. Voir p. 36, n. 4. — 11. Voir les vers 155-156 — 12. Voir le vers 149. — 13. Voir le vers 150.

■■

- **Les caractères : Atalide**

① Notez qu'elle utilise au moins un des arguments d'Acomat; mais ses paroles ne sont-elles pas révélatrices? Notez le sentiment à peine caché dans les vers 264-266, le refus de répondre affirmativement à la question de Roxane (comparez les vers 268 et 272), les termes ambigus utilisés pour décrire les sentiments de Bajazet. Commentez l'ordre dans lequel sont présentés les arguments aux vers 269-273.

- **Variante**

Vers 279-280 : *Pour l'entendre à mes yeux m'assurer de sa foi*
Je l'ai fait en secret amener devant moi. (1672)

② Voyez-vous des raisons aux changements opérés par Racine?

■■

Grâces à mon amour, je me suis bien servie
Du pouvoir qu'Amurat me donna sur sa vie.
315 Bajazet touche presque au trône des sultans :
Il ne faut plus qu'un pas. Mais c'est où je l'attends.
Malgré tout mon amour, si, dans cette journée,
Il ne m'attache à lui par un juste hyménée [1],
S'il ose m'alléguer une odieuse loi,
320 Quand je fais tout pour lui, s'il ne fait tout pour moi,
Dès le même [2] moment, sans songer si je l'aime,
Sans consulter enfin si je me perds moi-même,
J'abandonne l'ingrat et le laisse rentrer
Dans l'état malheureux d'où je l'ai su tirer.
325 Voilà sur quoi je veux que Bajazet prononce :
Sa perte ou son salut dépend de sa réponse.
Je ne vous presse point de vouloir aujourd'hui
Me prêter votre voix pour m'expliquer [3] à lui :
Je veux que, devant moi, sa bouche et son visage
330 Me découvrent son cœur sans me laisser d'ombrage [4];
Que lui-même, en secret amené dans ces lieux,
Sans être préparé se présente à mes yeux.
Adieu. Vous saurez tout après cette entrevue.

Scène IV. — ATALIDE, ZAÏRE.

ATALIDE. — Zaïre, c'en est fait, Atalide est perdue!

ZAÏRE. -335 Vous?

ATALIDE. — Je prévois déjà tout ce qu'il faut prévoir.
Mon unique espérance est dans mon désespoir [5].

ZAÏRE. — Mais, Madame, pourquoi?

ATALIDE. — Si tu venais d'entendre [6]
Quel funeste dessein Roxane vient de prendre,
Quelles conditions elle veut imposer !
340 Bajazet doit périr, dit-elle, ou l'épouser.
S'il se rend, que deviens-je en ce malheur extrême?
Et, s'il ne se rend pas, que devient-il lui-même?

ZAÏRE. — Je conçois [7] ce malheur. Mais, à ne point mentir,
Votre amour, dès longtemps, a dû [8] le pressentir.

---

1. Un mariage légitime : lat. *justae nuptiae.* — 2. *Même,* servant à identifier précisément une personne ou une chose, peut, à l'époque classique, se placer avant le substantif; le moment même. — 3. Non « *m'expliquer* avec *lui* », mais : lui donner à connaître quelque chose. — 4. De soupçon. — 5. *Mon unique espérance* (que Bajazet accepte) me désespérera : souvenir, volontaire ou non, de Corneille : « Ma plus douce espérance est de perdre l'espoir » (*Le Cid,* v. 135), et de Virgile (*Énéide,* II, 354) : *Una salus victis, nullam sperare salutem,* « Un seul salut pour les vaincus : n'espérer aucun salut. » — 6. Zaïre est supposée n'avoir pas entendu. — 7. Je comprends. — 8. Indicatif pour le conditionnel : tour latin.

ATALIDE. -345 Ah! Zaïre, l'amour a-t-il tant de prudence[1]?
　　　　　Tout semblait avec nous être d'intelligence[2];
　　　　　Roxane, se livrant toute entière à ma foi[3],
　　　　　Du cœur de Bajazet se reposait sur moi,
　　　　　M'abandonnait le soin de tout ce qui le touche,
　　350　Le voyait par mes yeux, lui parlait par ma bouche;
　　　　　Et je croyais toucher au bienheureux moment
　　　　　Où j'allais par ses mains couronner mon amant[4].
　　　　　Le Ciel s'est déclaré contre mon artifice.
　　　　　Et que fallait-il donc, Zaïre, que je fisse?
　　355　A l'erreur de Roxane ai-je dû[5] m'opposer
　　　　　Et perdre mon amant pour la désabuser[6]?
　　　　　Avant que dans son cœur cette amour fût formée,
　　　　　J'aimais, et je pouvais m'assurer[7] d'être aimée.
　　　　　Dès nos plus jeunes ans, tu t'en souviens assez,
　　360　L'amour serra les nœuds par le sang commencés.
　　　　　Élevée avec lui dans le sein de sa mère,
　　　　　J'appris à distinguer Bajazet de son frère.
　　　　　Elle-même avec joie unit nos volontés :
　　　　　Et, quoique après sa mort l'un de l'autre écartés,
　　365　Conservant, sans nous voir, le désir de nous plaire,
　　　　　Nous avons su toujours nous aimer et nous taire.

---

1. Prévoyance. — 2. S'entendre *avec nous*. — 3. Loyauté. — 4. Homme qui aime et est aimé. — 5. Voir p. 37, n. 8. — 6. Détromper. — 7. Avoir la certitude.

■■

- **Les caractères : Roxane** — « En elle l'agressivité semble fondue en toute occasion à l'attitude amoureuse, et on a peine à l'imaginer heureuse; dès le début, la menace est dans sa bouche comme l'expression naturelle de l'amour » (Bénichou, *Morales du grand siècle*).
  ① Utilisez cette suggestion pour étudier les dernières paroles de Roxane; notez le changement de rythme qui se produit au vers 317, la nature des verbes employés.
  « Ce qui distingue le personnage de Racine n'est pas la puissance de l'amour, mais la forme de cet amour, à la fois égoïste en ce qu'il vise à la possession de l'objet à n'importe quel prix, et ennemi de lui-même, tout entier tourné vers le désastre. » (Bénichou, *Morales du grand siècle*).
  ② Appliquez cette remarque à Roxane; pour sa dernière partie, notez les vers 321-322.

- **Le lyrisme**
  ③ « Racine, divin poète, est élégiaque, lyrique, épique » (Hugo, Préface de *Cromwell*). En étudiant les deux premières épithètes (« épique » vise *Athalie*), appliquez ce texte à tout le développement d'Atalide.

■■

Roxane, qui depuis, loin de s'en défier,
A ses desseins secrets voulut m'associer,
Ne put voir sans amour ce héros trop aimable [1];
370 Elle courut lui tendre une main favorable.
Bajazet, étonné [2], rendit grâce à ses soins [3],
Lui rendit des respects : pouvait-il faire moins?
Mais qu'aisément l'amour croit tout ce qu'il souhaite!
De ses moindres respects Roxane satisfaite
375 Nous engagea tous deux, par sa facilité [4],
A la laisser jouir de sa crédulité.
Zaïre, il faut pourtant avouer ma faiblesse :
D'un mouvement jaloux je ne fus pas maîtresse.
Ma rivale, accablant mon amant [5] de bienfaits,
380 Opposait un Empire à mes faibles attraits;
Mille soins la rendaient présente à sa mémoire;
Elle l'entretenait de sa prochaine gloire.
Et moi, je ne puis rien. Mon cœur, pour tout discours,
N'avait que des soupirs, qu'il répétait toujours.
385 Le Ciel seul sait combien j'en [6] ai versé de larmes.
Mais enfin Bajazet dissipa mes alarmes.
Je condamnai mes pleurs, et jusques aujourd'hui
Je l'ai pressé de feindre, et j'ai parlé pour lui.
Hélas! tout est fini : Roxane méprisée
390 Bientôt de son erreur sera désabusée [7].
Car enfin Bajazet ne sait point se cacher [8],
Je connais sa vertu prompte à s'effaroucher [9].
Il faut qu'à tous moments, tremblante et secourable,
Je donne à ses discours un sens plus favorable.
395 Bajazet va se perdre. Ah! si, comme autrefois,
Ma rivale eût voulu lui parler par ma voix!
Au moins, si j'avais pu préparer son visage!
Mais, Zaïre, je puis l'attendre à son passage;
D'un mot ou d'un regard je puis le secourir.
400 Qu'il l'épouse, en un mot, plutôt que de périr.
Si Roxane le veut, sans doute [10] il faut qu'il meure.
Il se perdra, te dis-je. Atalide, demeure.
Laisse, sans t'alarmer, ton amant sur sa foi [11].
Penses-tu mériter qu'on se perde pour toi?

---

1. Voir p. 36, n. 16. — 2. Voir p. 31, n. 1. — 3. Voir p. 42, n. 2. — 4. Disposition à croire. — 5. Voir p. 45, n. 4. — 6. *En* représente l'ensemble de la proposition précédente. — 7. Détrompée. — 8. Déguiser ses sentiments. — 9. *Effaroucher :* rendre farouche, rendre sauvage. Point essentiel, comme le montre la suite, du caractère de Bajazet. — 10. *Sans* aucun *doute.* — 11. Laisser quelqu'un *sur sa foi :* lui faire confiance en le laissant agir seul.

⁴⁰⁵ Peut-être Bajazet, secondant[1] ton envie,
Plus que tu ne voudras aura soin de sa vie.

ZAÏRE. — Ah! dans quels soins[2], Madame, allez-vous vous plonger?
Toujours avant le temps faut-il vous affliger?
Vous n'en pouvez douter, Bajazet vous adore.
⁴¹⁰ Suspendez ou cachez l'ennui[3] qui vous dévore :
N'allez point par vos pleurs déclarer[4] vos amours.
La main qui l'a sauvé le sauvera toujours,
Pourvu qu'entretenue en son erreur fatale[5],
Roxane jusqu'au bout ignore sa rivale.
⁴¹⁵ Venez en d'autres lieux enfermer vos regrets,
Et de leur entrevue attendre le succès[6].

ATALIDE. — Hé bien! Zaïre, allons. Et toi, si ta justice
De deux jeunes amants[7] veut punir l'artifice,
O Ciel! si notre amour est condamné de toi,
⁴²⁰ Je suis la plus coupable : épuise tout sur moi.

---

1. Voir p. 32, n. 16. — 2. Soucis. — 3. Sens très fort : tourment insupportable, violent désespoir. — 4. Manifester. — 5. Imposée par le destin. — 6. Voir p. 32, n. 10. — 7. Voir p. 45, n. 4.

■■

● **La durée**

① « Ce qui ne saurait être introduit dans la tragédie, c'est la durée. Impossible, dans ces cinq actes qui fractionnent une seule journée et qui évoluent en un seul endroit, de montrer à la fois la naissance de l'amour, ses progrès, ses reculs, ses reprises, son paroxysme, ses intermittences, sa diminution et sa mort. La passion n'y peut être saisie qu'au bord de la catastrophe dernière. Impossible surtout de peindre les personnages aux diverses époques de leur vie et de les montrer sous une autre dimension que l'espace » (Mauriac, *la Vie de Racine*). Est-ce juste pour Roxane? pour Atalide?

● **Les caractères**

② BAJAZET, personnage principal de la tragédie, n'a pas encore paru : faites-en le portrait d'après ce qui a été annoncé par les autres personnages; prêtez une attention particulière aux vers 371-372, 391-394.

③ ATALIDE n'a-t-elle pas tendance à rejeter une bonne part de la responsabilité de la situation sur Atalide? En tenant compte du déroulement ultérieur de l'action, quelle est l'importance des vers 377-383? Notez comment Racine en fait une personne prompte à s'inquiéter, apte aux revirements subits, insuffisamment confiante dans l'amour et les facultés de dissimulation de Bajazet (voyez en particulier l'affolement que manifestent les vers 395-402), n'ayant de confiance qu'en elle. Étudiez le passage du vers 400 au vers 401; quel sens donnez-vous au *le* du vers 401?

■■

ACTE II

ROXANE. — Prince, l'heure fatale[1] est enfin arrivée
Qu'à votre liberté[2] le Ciel a réservée.
Rien ne me retient plus; et je puis, dès ce jour,
Accomplir le dessein qu'a formé mon amour.
425 Non que, vous assurant d'un triomphe facile,
Je mette entre vos mains un Empire tranquille;
Je fais ce que je puis, je vous l'avais promis :
J'arme votre valeur contre vos ennemis[3],
J'écarte de vos jours un péril manifeste[4];
430 Votre vertu[5], Seigneur, achèvera le reste.
Osmin a vu l'armée : elle penche pour vous;
Les chefs de notre loi conspirent avec nous;
Le vizir Acomat vous répond de Byzance;
Et moi, vous le savez, je tiens sous ma puissance
435 Cette foule de chefs, d'esclaves, de muets,
Peuple que dans ses murs renferme ce palais,
Et dont à ma faveur les âmes asservies[6]
M'ont vendu dès longtemps leur silence et leurs vies.
Commencez maintenant : c'est à vous de courir
440 Dans le champ[7] glorieux que j'ai su vous ouvrir.
Vous n'entreprenez point une injuste carrière[8],
Vous repoussez, Seigneur, une main meurtrière.
L'exemple en est commun[9]; et, parmi les sultans,
Ce chemin à l'Empire a conduit de tout temps.
445 Mais, pour mieux commencer, hâtons-nous l'un et l'autre
D'assurer à la fois mon bonheur et le vôtre.
Montrez à l'univers, en m'attachant à vous,
Que quand je vous servais, je servais mon époux;
Et, par le nœud sacré d'un heureux hyménée,
450 Justifiez la foi que je vous ai donnée[10].

BAJAZET. — Ah! que proposez-vous, Madame?

ROXANE. —   Hé quoi, Seigneur!
Quel obstacle secret trouble notre bonheur?

---

1. Fixée par le destin : le mot définit la situation tragique en général, mais, souligné par *Ciel*, il est dans le ton de la fatalité musulmane. — 2. Pour *votre liberté*. — 3. Le pluriel désigne Amurat. — 4. Aussi visible que si on pouvait y porter la **main**. — 5. Courage. — 6. Esclaves de ma bienveillance. — 7. L'espace. — 8. Lieu fermé de barrières et disposé pour les courses; voie de luttes, d'efforts, où l'on s'engage. — 9. Fréquent. — 10. Prouvez que j'avais raison en vous faisant ma promesse.

BAJAZET. — Madame, ignorez-vous que l'orgueil de l'Empire...
Que ne m'épargnez-vous la douleur de le dire?

ROXANE. ⁴⁵⁵ Oui, je sais que depuis qu'un de vos empereurs,
Bajazet ¹, d'un barbare éprouvant les fureurs,
Vit au char du vainqueur son épouse enchaînée
Et par toute l'Asie à sa suite traînée,
De l'honneur ottoman ses successeurs jaloux ²
⁴⁶⁰ Ont daigné rarement prendre le nom d'époux.
Mais l'amour ne suit point ces lois imaginaires;
Et sans vous rapporter des exemples vulgaires,
Soliman (vous savez qu'entre tous vos aïeux
Dont l'univers a craint le bras victorieux,
⁴⁶⁵ Nul n'éleva si haut la grandeur ottomane),
Ce Soliman jeta les yeux sur Roxelane.
Malgré tout son orgueil, ce monarque si fier,
A son trône, à son lit, daigna l'associer ³,
Sans qu'elle eût d'autres droits au rang d'impératrice
⁴⁷⁰ Qu'un peu d'attraits peut-être, et beaucoup d'artifice.

1. Sujet, et non vocatif. — 2. Attachés à... — 3. Rime pour l'œil.

● **Le discours de Roxane**

① Relevez-en le plan. Tarde-t-elle à faire clairement sa proposition? Dans quels termes la fait-elle? Marquez les étapes des vers 446, 447, 448, 449; notez les temps des verbes au vers 448, le tour abstrait du vers 449. Montrez que, si Roxane présente les éléments favorables, elle ne cache pas les difficultés et n'ignore pas les objections possibles : est-ce de sa part habileté ou maladresse?

② Roxane transmet-elle exactement ce qu'a dit Acomat (voir en particulier les vers 216, 232-234)? Que pensez-vous du vers 433? A quelle déclaration d'Acomat répond-il? Peut-on penser que Roxane trompe sciemment Bajazet? Ou se laisse-t-elle influencer par le rapport déjà optimiste d'Acomat? Pourquoi insiste-t-elle sur le Sérail? Cet argument est-il bien placé à la fin de l'exposé de la situation?

③ Quels sentiments Roxane veut-elle éveiller chez Bajazet? Notez ce qui est fait pour le flatter, l'encourager, éventuellement pour le menacer (ce qui explique le changement ultérieur d'attitude). Dans cette dernière idée, le vers 434 contient-il une cheville?

④ Le langage de Roxane ne révèle-t-il pas sa conception de l'amour, sa « volonté de puissance »? Analysez de ce point de vue les vers 423, 426-428. L'erreur de Roxane n'est-elle pas de trop mettre au premier plan sa personnalité? Le vers 452 ne donne-t-il pas une note légèrement différente? Et le vers 470?

BAJAZET. — Il est vrai. Mais voyez aussi ce que je puis,
Ce qu'était Soliman, et le peu que je suis.
Soliman jouissait d'une pleine puissance :
L'Égypte ramenée à son obéissance,
475 Rhodes, des Ottomans ce redoutable écueil,
De tous ses défenseurs devenu le cercueil,
Du Danube asservi les rives désolées [1],
De l'empire persan les bornes reculées,
Dans leurs climats [2] brûlants les Africains domptés [3],
480 Faisaient taire les lois devant ses volontés.
Que suis-je? J'attends tout du peuple et de l'armée!
Mes malheurs font encor toute ma renommée.
Infortuné, proscrit [4], incertain de régner,
Dois-je irriter les cœurs au lieu de les gagner?
485 Témoins de nos plaisirs, plaindront-ils nos misères?
Croiront-ils mes périls et vos larmes sincères [5]?
Songez, sans me flatter [6] du sort de Soliman,
Au meurtre tout récent du malheureux Osman :
Dans leur rébellion, les chefs des janissaires,
490 Cherchant à colorer [7] leurs desseins sanguinaires,
Se crurent à sa perte assez autorisés
Par le fatal hymen que vous me proposez.
Que vous dirai-je enfin? Maître de leur suffrage [8],
Peut-être avec le temps j'oserai davantage.
495 Ne précipitons rien; et daignez commencer
A me mettre en état de vous récompenser.

ROXANE. — Je vous entends [9], Seigneur. Je vois mon imprudence;
Je vois que rien n'échappe à votre prévoyance :
Vous avez pressenti jusqu'au moindre danger
500 Où [10] mon amour trop prompt vous allait engager.
Pour vous, pour votre honneur, vous en craignez les suites;
Et je le crois, Seigneur, puisque vous me le dites.
Mais avez-vous prévu, si vous ne m'épousez,
Les périls plus certains où [11] vous vous exposez?
505 Songez-vous que sans moi tout vous devient contraire [12]?
Que c'est à moi surtout qu'il importe de plaire?
Songez-vous que je tiens les portes du Palais?
Que je puis vous l'ouvrir ou fermer pour jamais;

---

1. Sens latin : ravagées. — 2. Pays, contrées. — 3. Voir le vers 1104. — 4. Condamné à mort sans jugement. — 5. L'adjectif ne va bien qu'avec le deuxième substantif; en terme de rhétorique, c'est un zeugma (attelage). — 6. Sans avoir l'espoir d'avoir le *sort de Soliman.* — 7. Donner une belle apparence à quelque chose de mauvais. — 8. Ayant leur approbation. — 9. Comprends. — 10. Voir p. 43, n. 7. — 11. Voir la n. 10. — 12. Hostile.

Que j'ai sur votre vie un empire[1] suprême;
510 Que vous ne respirez qu'autant que je vous aime?
Et, sans ce même amour, qu'offensent vos refus,
Songez-vous, en un mot, que vous ne seriez plus?

BAJAZET. — Oui, je tiens tout de vous; et j'avais lieu de croire
Que c'était pour vous-même une assez grande gloire,
515 En voyant devant moi tout l'Empire à genoux,
De m'entendre avouer que je tiens tout de vous.
Je ne m'en défends point[2]; ma bouche le confesse,
Et mon respect saura le confirmer sans cesse :
Je vous dois tout mon sang; ma vie est votre bien.
520 Mais enfin voulez-vous...

---

1. Pouvoir. — 2. Je ne le nie pas.

- **Bajazet**

① Notez le plan très net de sa première réplique. Le fait que le discours soit aussi construit n'est-il pas révélateur?

② Comment se développe le portrait du personnage? Notez en particulier les vers 481-483. Ne font-ils pas de Bajazet un personnage « romantique »? Ne songe-t-on pas à Hamlet?
Est-il adroit? Dans le vers 481, n'oublie-t-il pas un élément essentiel? Que pensez-vous des derniers vers, de l'interruption que marque l'interrogation, de l'adverbe qui ouvre le vers 494?
N'y a-t-il pas un nouvel aspect du personnage dans le vers 496? L'évocation d'Osman est-elle simplement celle d'un précédent historique?

③ Comment jugez-vous sa seconde réplique? Notez en particulier les termes communs aux vers 513 et 516, la succession des expressions identiques aux vers 517 et 518. En outre, tout cela n'est-il pas en forte opposition avec le vers 481? Notez le mot maladroit du vers 518.

- **Roxane**

④ Analysez le passage de l'ironie à la menace; comment la forme souligne-t-elle ce passage? Étudiez les sons, les répétitions de mots, le « prosaïsme » du style.

Notez la valeur expressive du pléonasme au vers 509, la progression des menaces; dans cette dernière perspective, étudiez les vers 509, 510, 512; dans quel sens, étant donné le décor, faut-il prendre le terme *respirez* du vers 510?

- **Racine et l'histoire** — Les vers 474-479 évoquent exactement les campagnes de Soliman : Rhodes en 1522; le siège de Vienne en 1529; les diverses campagnes de Hongrie; la conquête de la Géorgie en 1536; la prise de Bagdad en 1538; les campagnes en Afrique.
Osman, prédécesseur d'Amurat, fut massacré en 1622, peut-être pour avoir épousé légitimement une de ses concubines.

ROXANE. —   Non, je ne veux plus rien.
Ne m'importune plus de tes raisons forcées[1] :
Je vois combien tes vœux sont loin de mes pensées.
Je ne te presse plus, ingrat, d'y[2] consentir :
Rentre dans le néant dont[3] je t'ai fait sortir.
525   Car enfin qui[4] m'arrête? et quelle autre assurance
Demanderais-je encor de son indifférence?
L'ingrat est-il touché de mes empressements[5]?
L'amour même entre-t-il dans ses raisonnements?
Ah! je vois tes desseins. Tu crois, quoi que je fasse,
530   Que mes propres périls t'assurent de ta grâce,
Qu'engagée avec toi par de si forts liens,
Je ne puis séparer tes intérêts des miens[6].
Mais je m'assure[7] encore aux bontés de ton frère;
Il m'aime, tu le sais; et, malgré sa colère,
535   Dans ton perfide sang je puis tout expier,
Et ta mort suffira pour me justifier.
N'en doute point, j'y[8] cours, et dès ce moment même.
    Bajazet, écoutez : je sens que je vous aime;
Vous vous perdez. Gardez[9] de me laisser sortir :
540   Le chemin est encore ouvert au repentir.
Ne désespérez point une amante[10] en furie[11].
S'il m'échappait un mot, c'est fait[12] de votre vie.

BAJAZET. — Vous pouvez me l'ôter : elle est entre vos mains;
Peut-être que ma mort, utile à vos desseins,
545   De l'heureux Amurat obtenant votre grâce,
Vous rendra dans son cœur votre première place[13].

ROXANE. — Dans son cœur? Ah! crois-tu, quand il le voudrait bien,
Que, si je perds l'espoir de régner dans le tien,
D'une si douce erreur si longtemps possédée[14],
550   Je puisse désormais souffrir une autre idée,
Ni que je vive enfin, si je ne vis pour toi?
Je te donne, cruel, des armes contre moi,
Sans doute[15]; et je devrais retenir ma faiblesse :
Tu vas en triompher. Oui, je te le confesse,
555   J'affectais à tes yeux une fausse fierté[16].

---

1. Qui manquent de sincérité. — 2. Renvoie à *pensées*. — 3. *Dont* est confondu avec *d'où, de qui, duquel*. — 4. Neutre : qu'est-ce qui? — 5. Hâte causée par le désir de quelque chose. — 6. Diérèse pour *liens* (deux syllabes); synérèse pour *miens* (une syllabe). — 7. Je me fie. — 8. Renvoie à *mort*. — 9. Évitez de. — 10. Le mot peut avoir un double sens : « qui aime d'amour et désire être aimée »; « qui aime et qui est aimée. » — 11. Fureur. — 12. On attend un conditionnel : l'indicatif, surtout parfait, insiste sur la réalité du fait. — 13. La *place* que vous occupiez auparavant. — 14. Sens très fort : subjuguée. — 15. *Sans aucun doute*. — 16. Sens fort : cruauté.

De toi dépend ma joie et ma félicité :
De ma sanglante mort ta mort sera suivie.
Quel fruit de tant de soins que j'ai pris pour ta vie!
Tu soupires enfin, et sembles te troubler[1].
560 Achève, parle.

BAJAZET. —   O Ciel! que ne puis-je parler?

ROXANE. — Quoi donc? Que dites-vous? et que viens-je d'entendre?
Vous avez des secrets que je ne puis apprendre?
Quoi! de vos sentiments je ne puis m'éclaircir[2]?

BAJAZET. — Madame, encore un coup[3], c'est à vous de choisir :
565 Daignez m'ouvrir au trône un chemin légitime[4];
Ou bien, me voilà prêt, prenez votre victime.

ROXANE. — Ah! c'en est trop enfin, tu seras satisfait.
Holà! gardes, qu'on vienne.

SCÈNE II. — ROXANE, ACOMAT, BAJAZET.

ROXANE. —   Acomat, c'en est fait.
Vous pouvez retourner, je n'ai rien à vous dire.
570 Du Sultan Amurat je reconnais l'empire :
Sortez. Que le Sérail soit désormais fermé,
Et que tout rentre ici dans l'ordre accoutumé.

---

1. C'est le trouble qu'elle attendait : voir les vers 278 et 283. — 2. *Éclaircir :* connaître quelque chose qu'on ignorait. — 3. *Encore* une fois. — 4. Conforme à la loi : voir le vers 480.

- **Roxane**

① Parlant des *Lettres d'une religieuse portugaise* et faisant allusion à cette scène, Stendhal écrit (*Journal*) : « Je n'avais encore vu ce genre de tendresse éperdue de cette pauvre religieuse portugaise que dans Racine, dans la scène de Roxane et de Bajazet par exemple. Voilà, ce me semble, l'extrême de l'amour ». Analysez cette « tendresse éperdue » : notez les divers moments de son évolution marqués en particulier par de fréquents changements dans l'emploi des pronoms, l'illogisme et l'incohérence de ses attitudes (ou leur logique profonde de femme amoureuse), l'insistance sur les décisions qui en marque la fragilité.

- **Entrées et sorties**

② L'entrée d'Acomat est-elle naturelle? La présence des gardes dans cette partie du Sérail est-elle admissible? Pourquoi Roxane les appelle-t-elle? Est-ce à eux ou à Acomat que s'adresse le *Sortez* du vers 571? Remarquez qu'en tout état de cause Acomat ne sort pas immédiatement. Peut-on imaginer que les gardes assistent à la scène suivante?

Scène III. — BAJAZET, ACOMAT.

ACOMAT. — Seigneur, qu'ai-je entendu? Quelle surprise extrême!
Qu'allez-vous devenir? Que deviens-je moi-même?
575 D'où naît ce changement? Qui[1] dois-je en accuser?
O Ciel!

BAJAZET. —   Il ne faut point ici[2] vous abuser[3].
Roxane est offensée et court[4] à la vengeance:
Un obstacle éternel rompt notre intelligence[5].
Vizir, songez à vous, je vous en averti[6];
580 Et, sans compter sur moi, prenez votre parti[7].

ACOMAT. — Quoi?

BAJAZET. —   Vous et vos amis, cherchez quelque retraite[8].
Je sais dans quels périls mon amitié vous jette,
Et j'espérais un jour vous mieux récompenser.
Mais c'en est fait, vous dis-je, il n'y faut plus penser.

ACOMAT. -585 Et quel est donc, Seigneur, cet obstacle invincible?
Tantôt[9] dans le Sérail j'ai laissé tout paisible.
Quelle fureur[10] saisit votre esprit et le sien?

BAJAZET. — Elle veut, Acomat, que je l'épouse.

ACOMAT. —   Hé bien?
L'usage des sultans à ses vœux est contraire;
590 Mais cet usage, enfin[11], est-ce une loi sévère
Qu'aux dépens de vos jours vous deviez observer?
La plus sainte des lois, ah! c'est de vous sauver,
Et d'arracher, Seigneur, d'une mort manifeste[12]
Le sang des Ottomans dont vous faites[13] le reste!

BAJAZET. -595 Ce reste malheureux serait trop acheté[14],
S'il faut[15] le conserver par une lâcheté.

ACOMAT. — Et pourquoi vous en faire une image si noire?
L'hymen de Soliman ternit-il sa mémoire?
Cependant Soliman n'était point menacé
600 Des périls évidents dont[16] vous êtes pressé.

BAJAZET. — Et ce sont ces périls et ce soin de ma vie
Qui d'un servile hymen feraient l'ignominie.

---

1. Aussi bien neutre que masculin. Voir p. 52, n. 4. — 2. Maintenant. — 3. Vous tromper. — 4. Voir le vers 537. — 5. Bonne entente. — 6. L's nuirait à la rime pour l'œil. — 7. Décision. — 8. Refuge. — 9. Il y a peu de temps. — 10. Folie. — 11. Somme toute. — 12. Voir p. 48, n. 4. — 13. Constituez. — 14. Obtenu avec peine. — 15. L'indicatif présent rend plus tangible la nécessité .— 16. Voir p. 52, n. 3.

                        Soliman n'avait point ce prétexte odieux;
                        Son esclave trouva grâce devant ses yeux;
    605   Et, sans subir le joug d'un hymen nécessaire,
                        Il lui fit de son cœur un présent volontaire.

ACOMAT. — Mais vous aimez Roxane.

BAJAZET. —   Acomat, c'est assez.
                        Je me plains de mon sort moins que vous ne pensez.
                        La mort n'est point pour moi le comble des disgrâces[1];
    610   J'osai, tout jeune encor, la chercher sur vos traces[2];
                        Et l'indigne prison où je suis renfermé
                        A la voir de plus près m'a même accoutumé.
                        Amurat à mes yeux l'a vingt fois présentée.
                        Elle finit le cours d'une vie agitée.
    615   Hélas! si je la quitte avec quelque regret...
                        Pardonnez, Acomat, je plains avec sujet[3]
                        Des cœurs dont les bontés, trop mal récompensées,
                        M'avaient pris pour objet de toutes leurs pensées[4].

---

1. Voir p. 33, n. 2. — 2. Voir les vers 117-122. — 3. *Avec* raison. — 4. Bajazet pense essentiellement à Atalide, mais les expressions sont assez ambiguës pour qu'Acomat s'y trompe.

■■

- **Acomat**

① Distinguez les questions et les arguments par lesquels il tente d'éclaircir la situation et de persuader Bajazet. Sont-ils conformes à ce que l'on sait déjà du personnage?

② « Point faible de cet homme si subtil : ambitieux, il ne prête à autrui que ses propres sentiments. Une passion le domine, elle l'aveugle comme toutes les passions » (Dubech, *Racine politique*).

- **Bajazet**

③ Relevez les traits qui font de lui un Turc fataliste. Notez en particulier des détails importants aux vers 578, 580, 584, 607. Comparez le vers 584 au vers 568 : ce rapprochement ne met-il pas en lumière un aspect caractéristique de la mentalité de Bajazet?

④ Est-il sincère lorsqu'il invoque son honneur ou veut-il simplement masquer la véritable raison de son attitude? Cet appel à la *gloire* ne le conduit-il pas à une attitude et à des vers « cornéliens »? Dégagez un autre aspect de sa nature en comparant les vers 604-606 aux vers 495-496. Se montre-t-il ainsi le *reste du sang des Ottomans* (v. 594)?

⑤ A quel moment, malgré son fatalisme et son sens de l'honneur, cède-t-il à un accès de faiblesse? A quoi Racine prépare-t-il ainsi le spectateur (voir la fin de la scène suivante)? Comment interprétez-vous le *Pardonnez* qu'il adresse à Acomat au vers 616?

■■

ACOMAT. — Ah ! si nous périssons, n'en accusez que vous,
620 Seigneur. Dites un mot, et vous nous sauvez tous.
Tout ce qui reste ici de braves janissaires,
De la religion les saints dépositaires,
Du peuple byzantin ceux qui plus [1] respectés
Par leur exemple seul règlent ses volontés [2],
625 Sont prêts de vous conduire à la Porte sacrée
D'où les nouveaux sultans font leur première entrée [3].

BAJAZET. — Hé bien ! brave Acomat, si je leur suis si cher,
Que des mains de Roxane ils viennent m'arracher [4].
Du Sérail, s'il le faut, venez forcer la porte [5] ;
630 Entrez accompagné de leur vaillante escorte.
J'aime mieux en sortir sanglant, couvert de coups,
Que chargé malgré moi du nom de son époux :
Peut-être je saurai, dans ce désordre extrême,
Par un beau désespoir me secourir moi-même [6],
635 Attendre, en combattant, l'effet de votre foi [7]
Et vous donner le temps de venir jusqu'à moi.

ACOMAT. — Hé ! pourrai-je empêcher, malgré ma diligence [8],
Que Roxane d'un coup n'assure sa vengeance ?
Alors, qu'aura servi ce zèle impétueux,
640 Qu'à charger vos amis d'un crime infructueux ?
Promettez : affranchi du péril qui vous presse,
Vous verrez de quel poids sera votre promesse [9].

BAJAZET. — Moi !

ACOMAT. —   Ne rougissez point : le sang des Ottomans [10]
Ne doit point en esclave obéir aux serments [11].
645 Consultez [12] ces héros que le droit de la guerre
Mena victorieux jusqu'au bout de la terre [13] :
Libres dans leur victoire, et maîtres de leur foi [14],
L'intérêt de l'État fut leur unique loi ;
Et d'un trône si saint la moitié n'est fondée

---

1. Dans la langue classique, le comparatif a souvent le sens du superlatif relatif : les plus. — 2. Les janissaires présents à Byzance et les personnages désignés aux vers 623-624 n'ont jusqu'ici jamais été signalés par Acomat. — 3. Usage souvent décrit par les voyageurs et historiens, tel Baudier racontant l'avènement d'Amurat : « Rentrant dans la ville par la porte d'Andrinople, il alla au Sérail avec la pompe et la suite accoutumée. » — 4. Rime pour l'œil, dite « normande ». — 5. Voir le vers 571. — 6. Imitation ou souvenir inconscient de Corneille : « Ou qu'un beau désespoir alors le secourût » (*Horace*, v. 1022). — 7. Loyauté. — 8. Voir p. 31, n. 5. — 9. Quelle importance donner à *votre promesse ?* — 10. Voir p. 36, n. 2. — 11. Confirmé par de multiples historiens dont Rycaut qui signale « le peu de soin qu'ils ont eu... de garder la foi promise et d'observer religieusement leurs traités. » — 12. Examinez. — 13. Il s'agit ici d'exemples puisés à d'autres sources que l'histoire de la Turquie. — 14. Promesse.

⁶⁵⁰ Que sur la foi promise et rarement gardée.
Je m'emporte, Seigneur...

BAJAZET. —   Oui, je sais, Acomat,
Jusqu'où les a portés l'intérêt de l'État.
Mais ces mêmes héros, prodigues de leur vie,
Ne la rachetaient point par une perfidie.

ACOMAT. -⁶⁵⁵ O courage inflexible ! O trop constante foi [1],
Que, même en périssant, j'admire malgré moi !
Faut-il qu'en un moment un scrupule timide
Perde... Mais quel bonheur nous envoie Atalide ?

SCÈNE IV. — BAJAZET, ATALIDE, ACOMAT.

ACOMAT. — Ah ! Madame, venez avec moi vous unir.
⁶⁶⁰ Il se perd.

ATALIDE. —   C'est de quoi je viens l'entretenir.
Mais laissez-nous ; Roxane, à sa perte animée [2],
Veut que de ce palais la porte soit fermée.
Toutefois, Acomat, ne vous éloignez pas :
Peut-être on vous fera revenir sur vos pas.

─────────

1. Loyauté. — 2. *Animée* du désir de le perdre.

━━━

● **Bajazet**

① Il semble prêt à adopter une nouvelle attitude : quelles paroles d'Acomat ont pu provoquer ce changement ? les assurances qu'il a données (v. 621-623) ? la vision évoquée par les vers 625-626 ? le désir qu'il a de se libérer ? Quelle image repousse-t-il avec horreur ? Ne révèle-t-il pas ainsi un mobile essentiel de ses actes ? Relevez, au vers 632, un détail à rapprocher des vers 604-606 et 495-496. Des deux solutions qu'il envisage, la première vous paraît-elle davantage dans la ligne du personnage ? Comment est présentée la seconde ? Est-ce de l'inquiétude ou de la modestie ?

● **La scène dans la pièce**

② Rapprochez les vers 627-636 des vers 1629-1632 et 1655-1662 ; le vers 664 du vers 875.

③ L'arrivée d'Atalide relance l'action. Cette arrivée est-elle naturelle ? Atalide a vu Roxane, qui l'a mise au courant. Peut-on imaginer qu'Atalide soit envoyée par Roxane ? Est-il vraisemblable qu'elle rencontre, en cet endroit, Bajazet et Acomat, après les paroles de Roxane aux vers 569-572 ? A propos de Racine, Sainte-Beuve parle d' « une science ingénieuse d'introduire et d'éconduire ses personnages ». Cette science s'observe-t-elle ici ?

━━━

Scène V. — BAJAZET, ATALIDE.

BAJAZET. -665 Hé bien! c'est maintenant qu'il faut que je vous laisse;
Le Ciel punit ma feinte [1] et confond [2] votre adresse [3].
Rien ne m'a pu [4] parer [5] contre ses derniers coups :
Il fallait ou mourir ou n'être plus à vous.
De quoi nous a servi cette indigne contrainte?
670 Je meurs plus tard : voilà tout le fruit de ma feinte.
Je vous l'avais prédit; mais vous l'avez voulu.
J'ai reculé vos pleurs autant que je l'ai pu.
Belle Atalide, au nom de cette complaisance,
Daignez de la Sultane éviter la présence.
675 Vos pleurs vous trahiraient : cachez-les à ses yeux,
Et ne prolongez point de dangereux adieux.

ATALIDE. — Non, Seigneur. Vos bontés pour une infortunée
Ont assez disputé [6] contre la destinée.
Il vous en coûte trop pour vouloir m'épargner.
680 Il faut vous rendre : il faut me quitter, et régner.

BAJAZET. — Vous quitter?

ATALIDE. —   Je le veux. Je me suis consultée.
De mille soins [7] jaloux jusqu'alors agitée,
Il est vrai, je n'ai pu concevoir sans effroi
Que Bajazet pût vivre et n'être plus à moi;
685 Et lorsque quelquefois de ma rivale heureuse
Je me représentais l'image douloureuse,
Votre mort (pardonnez aux fureurs [8] des amants)
Ne me paraissait pas le plus grand des tourments.
Mais à mes tristes yeux votre mort préparée
690 Dans toute son horreur ne s'était pas montrée;
Je ne vous voyais pas ainsi que je vous vois,
Prêt à me dire adieu pour la dernière fois.
Seigneur, je sais trop bien avec quelle constance
Vous allez de la mort affronter la présence;
695 Je sais que votre cœur se fait quelques plaisirs
De me prouver sa foi [9] dans ses derniers soupirs.
Mais hélas! épargnez une âme plus timide [10];
Mesurez vos malheurs aux forces d'Atalide;
Et ne m'exposez point aux plus vives douleurs
700 Qui jamais d'une amante [11] épuisèrent les pleurs.

---

1. Mon mensonge. — 2. Fait échouer. — 3. Habileté. — 4. Sens conditionnel : rien n'aurait pu. — 5. Protéger. — 6. Lutté. — 7. Soucis. — 8. Folies. — 9. Fidélité. — 10. Peureuse. — 11. Voir p. 52, n. 10.

BAJAZET. — Et que deviendrez-vous si, dès cette journée,
Je célèbre à vos yeux ce funeste hyménée?

ATALIDE. — Ne vous informez point ce que je deviendrai.
Peut-être à mon destin, Seigneur, j'obéirai.
705 Que sais-je? A ma douleur, je chercherai des charmes [1].
Je songerai peut-être, au milieu de mes larmes,
Qu'à vous perdre pour moi vous étiez résolu,
Que vous vivez, qu'enfin c'est moi qui l'ai voulu.

---

1. Sens fort: sortilèges, apaisements magiques; tient ce sens du latin *carmen:* incantation.

- **Bajazet**
  ① Confirme-t-il, en face d'Atalide, les traits de caractère manifestés
  en présence de Roxane? Quel est le sentiment dominant de sa première
  intervention? Notez le verbe révélateur du vers 665, le sens conditionnel
  (voir la note) du vers 667, le temps du verbe au vers 670. Dégagez un
  second sentiment, très important dans la scène antérieure avec Roxane,
  et qui s'affirme comme une des dominantes du personnage. Qualifiez
  la nature de son amour pour Atalide et l'idée qu'il se fait d'elle.

- **Atalide**
  ② Inquiète et incertaine à l'acte I, comment se présente-t-elle ici?
  Relevez les détails qui prouvent l'énergie de son caractère (ne pas
  oublier qu'elle est du *sang ottoman*). Distinguez les arguments utilisés
  pour persuader Bajazet : à quels sentiments fait-elle successivement
  appel? Notez les échos, dans ses propos, de certaines formules de Bajazet : comparez les vers 665 et 680; 668 et 684. Les vers 685-688 ne la
  rapprochent-ils pas de Roxane? Comment comprenez-vous le vers 704?
  Atalide est-elle simplement une « jeune fille racinienne, sensible, douce,
  facile aux pleurs » (Sarcey)?

- **L'action**
  ③ En trouvant l'écho des vers 675 et 683-688 (respectivement à
  l'acte III, scène 3, et à l'acte IV, scène 3), vérifiez la justesse de cette
  formule : on observe, « chemin faisant, des jalons du dénouement, des
  ouvertures rapides sur l'issue par laquelle il viendra » (Pierre Moreau,
  Racine).

- **Le lyrisme**
  ④ Notez l'aspect de duo d'amour que prend la scène, dès son début, et
  qu'elle conservera; tentez de définir ce qu'on peut appeler « le lyrisme »
  de Racine. Ce lyrisme se développe-t-il à part du drame? Menez votre
  enquête en utilisant les deux textes suivants : « Dans cette arène de
  rhétorique [la tragédie], il n'y a place ni pour le mouvement, ni pour
  le lyrisme, ni pour le drame » (Amiel, *Journal intime*); « Son [Racine]
  principal talent naturel était je le crois vers l'épanchement de l'élégie;
  mais on ne peut trop le décider, tant il a su convenablement s'identifier
  avec ses nobles personnages, dans la région mixte idéale et modérément
  dramatique où il se déploie à ravir » (Sainte-Beuve).
  ⑤ Analysez, en particulier, la variété du vers : tantôt « rasant la prose »,
  tantôt se développant par groupes de deux (rappelant le distique de
  l'élégie latine), tantôt se développant dans un mouvement plus long
  mais sans complications syntaxiques.

BAJAZET. — Non, vous ne verrez point cette fête cruelle[1].
710 Plus vous me commandez de vous être infidèle,
Madame, plus je vois combien vous méritez
De ne point obtenir ce que vous souhaitez.
Quoi! cet amour si tendre, et né dans notre enfance,
Dont les feux[2] avec nous ont crû dans le silence,
715 Vos larmes que ma main pouvait seule arrêter,
Mes serments redoublés de ne vous point quitter,
Tout cela finirait par une perfidie?
J'épouserais, et qui? (s'il faut que je le die)
Une esclave attachée à ses seuls intérêts,
720 Qui présente à mes yeux les supplices tout prêts,
Qui m'offre ou son hymen, ou la mort infaillible;
Tandis qu'à mes périls Atalide sensible,
Et trop digne du sang qui lui donna le jour,
Veut me sacrifier jusques à son amour.
725 Ah! qu'au jaloux Sultan ma tête soit portée[3],
Puisqu'il faut à ce prix qu'elle soit rachetée!

ATALIDE. — Seigneur, vous pourriez vivre et ne me point trahir.

BAJAZET. — Parlez : si je le puis, je suis prêt d'obéir.

ATALIDE. — La Sultane vous aime; et malgré sa colère,
730 Si vous preniez, Seigneur, plus de soin de lui plaire,
Si vos soupirs daignaient lui faire pressentir
Qu'un jour...

BAJAZET. —   Je vous entends[4] : je n'y puis consentir.
Ne vous figurez point que dans cette journée,
D'un lâche désespoir ma vertu[5] consternée[6]
735 Craigne les soins[7] d'un trône où je pourrais monter,
Et par un prompt trépas cherche à les éviter.
J'écoute trop peut-être une imprudente audace;
Mais sans cesse occupé des grands noms de ma race,
J'espérais que, fuyant un indigne repos,
740 Je prendrais quelque place entre tant de héros.
Mais quelque ambition, quelque amour qui me brûle,
Je ne puis plus tromper une amante[8] crédule.
En vain, pour me sauver, je vous l'aurais promis :
Et ma bouche et mes yeux, du mensonge ennemis,

---

1. Le mariage de Roxane et Bajazet. — 2. Sentiments. — 3. Voir le vers 74. — 4. Comprends. — 5. Mon courage. — 6. Renversée par *un lâche désespoir*. — 7. Soucis. — 8. Voir p. 52, n. 10.

⁷⁴⁵ Peut-être, dans le temps que je voudrais lui plaire,
Feraient par leur désordre¹ un effet tout contraire;
Et de mes froids soupirs ses regards offensés
Verraient trop que mon cœur ne les a point poussés.
O Ciel! combien de fois je l'aurais éclaircie²,
⁷⁵⁰ Si je n'eusse à sa haine exposé que ma vie,
Si je n'avais pas craint que ses soupçons jaloux
N'eussent trop aisément remonté jusqu'à vous!
Et j'irais l'abuser d'une fausse promesse?
Je me parjurerais? Et par cette bassesse...
⁷⁵⁵ Ah! loin de m'ordonner cet indigne détour³,
Si votre cœur était moins plein de son amour,
Je vous verrais, sans doute, en rougir la première.
Mais, pour vous épargner une injuste prière,
Adieu : je vais trouver Roxane de ce pas,
⁷⁶⁰ Et je vous quitte.

---

1. Trouble. — 2. Informée. — 3. Adresse pour éluder un péril.

■■■

- **Bajazet** — « Il garde au milieu de son amour la férocité de la nation »
  (Racine, Seconde Préface, p. 28, l. 72 et suiv.).
  « Je vous demande, Monsieur, si à ce style, dans lequel tout le rôle de ce
  Turc est écrit, vous reconnaissez autre chose qu'un Français qui
  s'exprime avec élégance et douceur » (Voltaire, lettre du 3 avril 1739).
  ① Confrontez ces deux textes : notez dans le personnage son sentiment de l'honneur, son dégoût vis-à-vis de Roxane, sa défense contre
  une idée qu'il prête sans raison à Atalide, ses derniers mots (en particulier l'étrange vers 756), mais aussi l'élégance et la douceur de certains
  passages, voire leur subtilité presque précieuse.

- **Corps et âmes**
  ② Notez et commentez tous les détails qui peuvent justifier cette
  observation (Pommier, *Aspects de Racine*) : « On le nierait en vain, les
  personnages de Racine ont un visage, une physionomie où passent des
  émotions. » Montrez que ces personnages ne sont pas des êtres désincar-
  nés, réduits à une « psychologie ».

- **L'amour** — « L'amour, dans les tragédies de Racine, efféminé plus les
  héros qu'il ne les exalte » (André Gide, *Journal* 1939-1945).
  ③ Cette scène vous semble-t-elle justifier ce jugement? En vous inter-
  rogeant, ne vous limitez pas au personnage de Bajazet.

- **Le passé** — « Ces personnages, qui n'ont pas les souvenirs d'enfance et
  d'innocence... » (Giraudoux, *Tableau de la littérature française*).
  ④ Relevez un détail qui interdit de qualifier ainsi les personnages
  raciniens; reportez-vous également aux vers 359-366, 1495-1496, 1581-
  1584.

■■■

ATALIDE. —   Et moi, je ne vous quitte pas.
Venez, cruel, venez, je vais vous y [1] conduire ;
Et de tous nos secrets, c'est moi qui veux l'instruire.
Puisque, malgré mes pleurs, mon amant [2] furieux [3]
Se fait tant de plaisir d'expirer à mes yeux,
765 Roxane, malgré vous, nous joindra l'un et l'autre.
Elle aura plus de soif de mon sang que du vôtre,
Et je pourrai donner à vos yeux effrayés
Le spectacle sanglant que vous me prépariez.

BAJAZET. — O Ciel ! que faites-vous ?

ATALIDE. —   Cruel ! pouvez-vous croire
770 Que je sois moins que vous jalouse [4] de ma gloire [5] ?
Pensez-vous que cent fois, en vous faisant parler,
Ma rougeur ne fût pas prête à me déceler ?
Mais on me présentait votre perte prochaine.
Pourquoi faut-il, ingrat, quand la mienne est certaine,
775 Que vous n'osiez pour moi ce que j'osais pour vous ?
Peut-être il suffira d'un mot un peu plus doux ;
Roxane dans son cœur peut-être vous pardonne.
Vous-même, vous voyez le temps qu'elle vous donne.
A-t-elle, en vous quittant, fait sortir le Vizir ?
780 Des gardes à mes yeux viennent-ils vous saisir ?
Enfin, dans sa fureur [6] implorant mon adresse [7],
Ses pleurs ne m'ont-ils pas découvert sa tendresse ?
Peut-être elle n'attend qu'un espoir incertain
Qui lui fasse tomber les armes de la main.
785 Allez, Seigneur, sauvez votre vie et la mienne.

BAJAZET. — Hé bien ! Mais quels discours faut-il que je lui tienne [8] ?

ATALIDE. — Ah ! daignez sur ce choix ne me point consulter.
L'occasion, le Ciel pourra vous les dicter.
Allez. Entre elle et vous je ne dois point paraître :
790 Votre trouble ou le mien nous feraient reconnaître [9].
Allez, encore un coup [10], je n'ose m'y trouver.
Dites... tout ce qu'il faut, Seigneur, pour vous sauver.

---

1. Dans la langue classique, *y* représente librement un nom de personne. — 2. Homme qui aime et est aimé. — 3. Rendu fou. — 4. Attachée à. — 5. Réputation qui procède du mérite d'une personne, sans idée d'éclatante célébrité. — 6. Folie. — 7. Vers 328. — 8. Variante (1672) :

       — *Allez, Seigneur, tentez cette dernière voie.*
       — *Hé bien ! mais quels discours voulez-vous que j'emploie ?*

— 9. Feraient connaître ce que nous voulons cacher. — 10. Voir p. 53, n. 3.

- **Atalide** — « Il semble bien que, dans son désir de sauver l'homme qu'elle aime, elle soit prête à conseiller à Bajazet un double jeu assez peu édifiant » (Descotes, *les Grands Rôles du théâtre de Jean Racine*).

  ① Estimez-vous que cette formule rende exactement compte des sentiments d'Atalide?

  ② Comment affirme-t-elle son caractère dans ses premiers mots? Notez le mouvement du vers 761. Le sentiment exprimé dans les vers 763-765 est-il légitime? Répond-il vraiment à une déclaration de Bajazet? Quelle solution semble envisager ensuite Atalide?

  Comparez les épithètes dont elle use vis-à-vis de Bajazet avec celles employées par Roxane dans la scène 1 de l'acte II. Notez comment le vers 772 fait écho au vers 757, le vers 774 au vers 702.

  Le mouvement change au vers 776. Pourquoi? Notez l'apparition d'un adverbe important, l'utilisation d'une argumentation nouvelle, fondée sur les faits. Analysez l'ordre des possessifs dans le vers 785.

  Quels sont les sentiments exprimés dans sa dernière réplique? Que pensez-vous de son refus, trois fois exprimé, d'assister à l'entrevue (comparez les verbes des vers 789 et 791)? Quel sens donnez-vous au dernier vers?

- **Bajazet**

  ③ Que pensez-vous de sa nouvelle attitude? Quel est l'argument d'Atalide qui l'a décidé : ce qu'elle révèle de l'attitude de Roxane? ou son dernier mot?

- **L'action**

  ④ Ce duo d'amour et de générosité, une des scènes les plus « touchantes » de Racine, est-il séparé de l'action? Vous vous demanderez si l'on peut lui appliquer les deux observations suivantes :

  « Est-ce vouloir renverser Racine que de déclarer qu'on préfère chez lui la poésie pure au drame et qu'on est tenté de le rapporter à la famille des génies lyriques, des chantres élégiaques et pieux, dont la mission ici-bas est de célébrer l'amour? » (Sainte-Beuve).

  « Ce qui frappe, dans la tragédie, c'est la partie oratoire; elle est une gerbe de beaux discours, l'action elle-même est racontée » (Amiel, *Journal intime*).

  ⑤ En cette fin du second acte, l'action est relancée et un nouveau point d'interrogation se pose. Observez qu'Atalide est à l'origine de cette relance, comme elle fut à l'origine de la « feinte », comme elle sera à l'origine de la catastrophe. Cependant, l'attitude de Roxane n'est-elle pas indispensable? Trouvez, dans les vers 778-780, la réponse aux questions posées à propos des vers 568-572. Imaginez alors quels doivent être exactement les mouvements des personnages, la mise en scène, entre la fin de la scène 1 et le début de la scène 3.

- **Clarté et profondeur** — « Les Romantiques ont feint qu'il y avait une contrariété de nature entre le clair et le profond pour que, les classiques étant évidemment clairs, il fût entendu automatiquement qu'ils n'étaient pas profonds. Comme si les vers de Racine les plus pleins de lumière n'étaient pas aussi les plus mystérieux » (Péguy, *Note sur M. Bergson et la philosophie bergsonienne*).

  ⑥ Appliquez cette remarque à divers passages du texte, en particulier aux vers 785, 786, 792.

Gravure de Gérard, 1825

ROXANE. — *Vous avez des secrets que je ne puis apprendre?* (II, I, v. 562)

Marie Marquet (ROXANE) et
Maurice Escande (BAJAZET)
Comédie-Française, 1937

Cl. B.N.

Sépia de Desenne, 1825

ROXANE. — *Tiens, perfide...*
(V, 4, v. 1488)

Thérèse Marney (ROXANE)
et René Arrieu (BAJAZET)
Comédie-Française, 1957

Cl. Bernand

Cl. B. N.

ACTE III

Scène première. — ATALIDE, ZAÏRE.

ATALIDE. — Zaïre, il est donc vrai, sa grâce est prononcée?

ZAÏRE. — Je vous l'ai dit, Madame : une esclave empressée,
795 Qui courait de Roxane accomplir le désir,
Aux portes du Sérail a reçu le Vizir.
Ils ne m'ont point parlé; mais mieux qu'aucun langage,
Le transport [1] du Vizir marquait sur son visage
Qu'un heureux changement le rappelle au Palais,
800 Et qu'il y vient signer une éternelle paix.
Roxane a pris sans doute une plus douce voie.

ATALIDE. — Ainsi de toutes parts les plaisirs et la joie
M'abandonnent, Zaïre, et marchent sur leurs pas.
J'ai fait ce que j'ai dû; je ne m'en repens pas.

ZAÏRE. 805 Quoi, Madame? Quelle est cette nouvelle alarme?

ATALIDE. — Et ne t'a-t-on pas dit, Zaïre, par quel charme [2]
Ou, pour mieux dire enfin, par quel engagement [3]
Bajazet a pu faire [4] un si prompt changement?
Roxane en sa fureur paraissait inflexible;
810 A-t-elle de son cœur quelque gage infaillible?
Parle. L'épouse-t-il?

ZAÏRE. — Je n'en ai rien appris.
Mais enfin, s'il n'a pu se sauver qu'à ce prix,
S'il fait ce que vous-même avez su lui prescrire,
S'il l'épouse, en un mot...

ATALIDE. — S'il l'épouse, Zaïre!

ZAÏRE. 815 Quoi! vous repentez-vous des généreux discours
Que vous dictait le soin [5] de conserver ses jours?

ATALIDE. — Non, non; il ne fera que ce qu'il a dû faire.
Sentiments trop jaloux, c'est à vous de vous taire :
Si Bajazet l'épouse, il suit mes volontés;
820 Respectez ma vertu qui vous a surmontés;
A ses nobles conseils ne mêlez point le vôtre;
Et, loin de me le peindre entre les bras d'une autre,
Laissez-moi sans regrets me le représenter
Au trône où mon amour l'a forcé de monter.

---

1. Manifestation violente d'un sentiment; ici, de joie. — 2. Voir p. 59, n. 1. — 3. « Obligation qui est cause que l'on n'est plus en liberté de faire ce qu'on veut » (*Dict. de l'Acad.;* 1694); mais le mot a aussi, dans la langue sentimentale, le sens de « gage d'amour ». — 4. Causer. — 5. Souci.

825 Oui, je me reconnais, je suis toujours la même.
Je voulais qu'il m'aimât, chère Zaïre : il m'aime;
Et du moins cet espoir me console aujourd'hui,
Que je vais mourir digne et contente de lui.

ZAÏRE. — Mourir! Quoi? vous auriez un dessein si funeste?

ATALIDE. -830 J'ai cédé mon amant; tu t'étonnes du reste?
Peux-tu compter, Zaïre, au nombre des malheurs
Une mort qui prévient et finit tant de pleurs?
Qu'il vive, c'est assez. Je l'ai voulu, sans doute [1];
Et je le veux toujours, quelque prix qu'il m'en coûte.
835 Je n'examine point ma joie ou mon ennui [2] :
J'aime assez mon amant pour renoncer à lui.
Mais, hélas! il peut bien penser avec justice
Que, si j'ai pu lui faire un si grand sacrifice,
Ce cœur, qui de ses jours prend ce funeste soin [3],
840 L'aime trop pour vouloir en être le témoin.
Allons, je veux savoir...

ZAÏRE. —   Modérez-vous, de grâce :
On vient vous informer de tout ce qui se passe.
C'est le Vizir.

---

1. *Sans* aucun *doute*. — 2. Voir p. 47, n. 3. — 3. Écho du vers 816.

● **L'entracte** — L'importante entrevue de Bajazet et Roxane, que le spectateur attendait, s'est déroulée pendant l'entracte; elle va tout à l'heure nous être racontée.

① Avant de lire la scène suivante, recherchez pour quelle raison Racine fait ici une entorse à la règle qu'il énonce dans la seconde préface de *Britannicus :* « Une des règles du théâtre est de ne mettre en récit que les choses qui ne se peuvent passer en action. »

● **Le sublime et le naturel**

② « Tout le théâtre de Racine est fait d'oscillations entre le sublime traditionnel et une psychologie qui le contredit » (Bénichou, *Morales du grand siècle*). Étudiez dans cette perspective les sentiments d'Atalide : notez la contradiction entre les vers 806-808 et 776 et suivants; entre le vers 809 et les vers 781-782; rapprochez le vers 806 du vers 797; devant quel mot recule-t-elle? (recherchez dans la scène 4 de l'acte I où est placé ce même mot; et notez s'il figure dans la scène 5 de l'acte II); étudiez le mouvement d'auto-suggestion par lequel elle veut se persuader que Bajazet n'a agi que sur son ordre; l'appel « cornélien » qu'elle adresse à ses sentiments, l'idéal de générosité qu'elle affirme être le sien ne sont-ils pas contredits par l'évocation rapide qui se glisse au vers 822? Mais le sublime ne réapparaît-il pas avec un vers de frappe et de sentiment cornéliens?

SCÈNE II. — ATALIDE, ACOMAT, ZAÏRE.

ACOMAT. —   Enfin nos amants[1] sont d'accord,
Madame; un calme heureux nous remet dans le port[2].
845 La Sultane a laissé désarmer sa colère;
Elle m'a déclaré sa volonté dernière[3];
Et, tandis qu'elle montre au peuple épouvanté
Du prophète divin l'étendard redouté[4],
Qu'à marcher sur mes pas Bajazet se dispose,
850 Je vais de ce signal faire entendre[5] la cause,
Remplir tous les esprits d'une juste terreur,
Et proclamer enfin le nouvel empereur.
        Cependant permettez que je vous renouvelle[6]
Le souvenir du prix qu'on promit à mon zèle.
855 N'attendez point de moi ces doux emportements[7],
Tels que j'en vois paraître au cœur de ces amants;
Mais si, par d'autres soins, plus dignes de mon âge,
Par de profonds respects, par un long esclavage,
Tel que nous le devons au sang de nos sultans,
860 Je puis...

ATALIDE. —   Vous m'en pourrez instruire avec le temps.
Avec le temps aussi vous pourrez me connaître.
Mais quels sont ces transports[8] qu'ils vous ont fait paraître?

ACOMAT. — Madame, doutez-vous des soupirs enflammés
De deux jeunes amants l'un de l'autre charmés?

ATALIDE. -865 Non; mais à dire vrai, ce miracle m'étonne[9].
Et dit-on à quel prix Roxane lui pardonne?
L'épouse-t-il enfin?

ACOMAT. —   Madame, je le croi[10].
Voici tout ce qui vient d'arriver devant moi.
        Surpris, je l'avoûrai, de leur fureur[11] commune,
870 Querellant[12] les amants, l'amour et la fortune,
J'étais de ce palais sorti désespéré.
Déjà, sur un vaisseau dans le port préparé[13],
Chargeant de mon débris[14] les reliques[15] plus[16] chères,
Je méditais ma fuite aux terres étrangères[17].

---

1. Voir p. 45, n. 4. — 2. Acomat emprunte naturellement son image au décor qu'il vient de quitter. — 3. Définitive. — 4. Voir le vers 239; en réalité, Roxane se prépare à le faire : voir le vers 1016. — 5. Comprendre. — 6. Remette dans l'esprit, rappelle. — 7. « Mouvement déréglé, violent, causé par quelque passion » (*Dict. de l'Acad.*, 1694); le substantif s'oppose à l'épithète. — 8. Voir p. 66, n. 1. — 9. Voir p. 31, n. 4. — 10. Voir p. 54, n. 6. — 11. Folie. — 12. Me plaignant de. — 13. Variante (éd. de 1672 à 1687) : *Déjà dans un vaisseau sur l'Euxin préparé.* — 14. Ma ruine. — 15. Les restes; lat. *reliquiae.* — 16. Voir p. 56, n. 1. — 17. Il ne partait pas, il préparait son départ : voir le vers 664.

875 Dans ce triste[1] dessein au Palais rappelé[2],
   Plein de joie et d'espoir, j'ai couru, j'ai volé.
   La porte du Sérail à ma voix s'est ouverte;
   Et d'abord[3] une esclave à mes yeux s'est offerte,
   Qui m'a conduit sans bruit dans un appartement
880 Où Roxane attentive écoutait son amant.
   Tout gardait devant eux un auguste silence :
   Moi-même, résistant à mon impatience,
   Et respectant de loin leur secret entretien,
   J'ai longtemps, immobile, observé leur maintien.
885 Enfin, avec des yeux qui découvraient son âme,
   L'une a tendu la main pour gage de sa flamme;
   L'autre, avec des regards éloquents, pleins d'amour,
   L'a de ses feux, Madame, assurée à son tour.

---

1. Sens latin très fort : funeste, cruel. — 2. Reprise des termes du vers 799. — 3. Immédiatement.

- **Un « récit fidèle »** (v. 897) — Le récit très inexact d'Acomat va exciter la jalousie d'Atalide et provoquer ainsi un geste décisif. La difficulté est de faire en sorte qu'Acomat, témoin sincère et observateur soupçonneux, puisse se tromper.

  ① L'état moral dans lequel se trouvait Acomat avant son rappel au palais, l'état physique dans lequel l'a mis son retour au palais sont-ils des éléments importants de la scène? Montrez comment tous les détails décrivant l'attitude d'Acomat expliquent son erreur, tout en insistant parfois (voir le v. 884) sur la minutie de son observation. Ne peut-on parler d'auto-suggestion?

- **La cruauté**

  ② « Dans le dialogue racinien, il n'y a pas un mot qui ne porte. Non pas seulement pas un mot, mais pas un oubli, pas un silence qui ne vaille, qui ne soit habile, voulu, fait. Qui ne porte, c'est-à-dire qui ne porte un coup. Qui ne fasse mal, qui ne serve à faire du mal à quelqu'un » (Péguy, *Victor-Marie, comte Hugo*). Analysez cette cruauté, ici inconsciente, dans toute l'intervention d'Acomat.

- **La couleur locale**

  ③ Utilisez ce passage pour étudier la manière dont Racine a présenté l'atmosphère turque.

- **Atalide**

  ④ Acomat se préparait-il à faire son récit? L'erreur d'Atalide n'est-elle pas de provoquer ce récit? On parle souvent de la fatalité qui pèse sur les héros de la tragédie : s'agit-il vraiment de fatalité ici?

ATALIDE. — Hélas !

ACOMAT. —   Ils m'ont alors aperçu l'un et l'autre.
890 « Voilà, m'a-t-elle dit, votre prince et le nôtre.
» Je vais, brave Acomat, le remettre en vos mains.
» Allez lui préparer les honneurs souverains ;
» Qu'un peuple obéissant l'attende dans le temple[1] ;
» Le Sérail va bientôt vous en donner l'exemple. »
895 Aux pieds de Bajazet alors je suis tombé ;
Et soudain à leurs yeux je me suis dérobé.
Trop heureux d'avoir pu, par un récit fidèle,
De leur paix, en passant, vous conter la nouvelle,
Et m'acquitter vers vous de mes respects profonds.
900 Je vais le couronner, Madame, et j'en réponds.

SCÈNE III. — ATALIDE, ZAÏRE.

ATALIDE. — Allons, retirons-nous, ne troublons point leur joie[2].

ZAÏRE. — Ah ! Madame, croyez...

ATALIDE. —   Que veux-tu que je croie ?
Quoi donc ? à ce spectacle irai-je m'exposer ?
Tu vois que c'en est fait, ils se vont épouser ;
905 La Sultane est contente[3] ; il assure qu'il l'aime.
Mais je ne m'en plains pas, je l'ai voulu moi-même.
Cependant, croyais-tu, quand, jaloux de sa foi[4],
Il s'allait plein d'amour sacrifier pour moi ;
Lorsque son cœur, tantôt[5] m'exprimant sa tendresse,
910 Refusait à Roxane une simple promesse ;
Quand mes larmes en vain tâchaient de l'émouvoir ;
Quand je m'applaudissais de leur peu de pouvoir,
Croyais-tu que son cœur, contre toute apparence,
Pour la persuader trouvât tant d'éloquence ?
915 Ah ! peut-être, après tout, que sans trop se forcer,
Tout ce qu'il a pu dire, il a pu le penser.
Peut-être en la voyant, plus sensible pour elle[6],
Il a vu dans ses yeux quelque grâce nouvelle ;
Elle aura devant lui fait parler ses douleurs ;
920 Elle l'aime ; un Empire autorise[7] ses pleurs,
Tant d'amour touche enfin une âme généreuse[8].
Hélas ! que de raisons contre une malheureuse !

---

1. Mosquée serait le mot propre. — 2. Variante (éd. de 1672 à 1687) : *sa joie.* — 3. Voir p. 31, n. 3. — 4. Attaché à sa parole. — 5. Il y a un instant. — 6. Plus ému du fait qu'il l'a vue. — 7. Donne du crédit, de l'autorité à. — 8. De noble nature.

ZAÏRE. — Mais ce succès[1], Madame, est encore incertain.
Attendez.

ATALIDE. — Non, vois-tu, je le nierais en vain,
925 Je ne prends point plaisir à croître ma misère ;
Je sais pour se sauver tout ce qu'il a dû[2] faire.
Quand mes pleurs vers Roxane ont rappelé[3] ses pas,
Je n'ai point prétendu qu'il ne m'obéît pas.
Mais après les adieux que je venais d'entendre,
930 Après tous les transports[4] d'une douleur si tendre,
Je sais qu'il n'a point dû[5] lui faire remarquer[6]
La joie et les transports qu'on vient de m'expliquer[7].
Toi-même, juge-nous, et vois si je m'abuse :
Pourquoi de ce conseil[8] moi seule suis-je exclue ?
935 Au sort de Bajazet ai-je si peu de part ?
A me chercher lui-même attendrait-il si tard,
N'était que[9] de son cœur le trop juste reproche
Lui fait peut-être, hélas ! éviter cette approche ?
Mais non, je lui veux bien épargner ce souci :
940 Il ne me verra plus.

ZAÏRE. — Madame, le voici.

---

1. Voir p. 32, n. 10. — 2. *Ce qu'il a* été obligé *de faire.* — 3. Fait revenir. — 4. Voir p. 66, n. 1. — 5. Voir p. 37, n. 8. — 6. Lui manifester. — 7. Découvrir. — 8. Cette décision. — 9. Si ce n'est que.

■■

● **La sortie d'Acomat**
① Son récit ne devrait-il pas être plus exact à partir du vers 889 ?

● **« C'en est fait »** (v. 904)
② Notez cette courte phrase dans la bouche d'Atalide. Retrouvez-la aux vers 334, 568, 584, 941. A-t-elle simplement une valeur psychologique, et ici locale (le fatalisme musulman) ? N'est-elle pas l'expression même de la nature de la tragédie ? Rythmant l'action, n'exprime-t-elle pas aussi le mouvement dramatique, paraissant à des intervalles réguliers pour donner aux personnages, et au spectateur, l'illusion que l'on a atteint la dernière étape ? Terminez l'analyse en retrouvant la même phrase au vers 1721.

● **Atalide**
③ Étudiez la lutte en elle de deux sentiments : opposez le vers 906 et les vers 926-928 à ceux qui les suivent. Le vers 912 n'est-il pas révélateur ? Notez la contradiction, base de son caractère, entre les vers 915-916 et l'attitude de Bajazet dans la dernière scène de l'acte II. Les raisons qu'elle invoque aux vers 934-938 sont-elles justifiées ? Laisse-t-elle à Zaïre le temps de « juger » ?

■■

SCÈNE IV. — BAJAZET, ATALIDE, ZAÏRE.

BAJAZET. — C'en est fait, j'ai parlé, vous êtes obéie.
Vous n'avez plus, Madame, à craindre pour ma vie;
Et je serais heureux, si la foi[1], si l'honneur
Ne me reprochaient point mon injuste bonheur[2];
945 Si mon cœur, dont le trouble en secret me condamne,
Pouvait me pardonner aussi bien que Roxane.
Mais enfin je me vois les armes à la main[3];
Je suis libre; et je puis contre un frère inhumain,
Non plus, par un silence aidé de votre adresse,
950 Disputer en ces lieux le cœur de sa maîtresse[4],
Mais par de vrais combats, par de nobles dangers,
Moi-même le cherchant aux climats[5] étrangers,
Lui disputer les cœurs du peuple et de l'armée,
Et pour juge entre nous prendre la renommée.
955 Que vois-je? Qu'avez-vous? Vous pleurez?

ATALIDE. —   Non, Seigneur,
Je ne murmure point[6] contre votre bonheur.
Le Ciel, le juste Ciel vous devait ce miracle.
Vous savez si jamais j'y formai quelque obstacle :
Tant que j'ai respiré, vos yeux me sont témoins
960 Que votre seul[7] péril occupait tous mes soins[8];
Et puisqu'il ne pouvait finir qu'avec ma vie,
C'est sans regret aussi que je la sacrifie.
Il est vrai, si le Ciel eût écouté mes vœux,
Qu'il pouvait m'accorder un trépas plus heureux :
965 Vous n'en auriez pas moins épousé ma rivale;
Vous pouviez vous assurer de la foi conjugale;
Mais vous n'auriez pas joint à ce titre d'époux
Tous ces gages d'amour qu'elle a reçus de vous.
Roxane s'estimait[9] assez récompensée,
970 Et j'aurais en mourant cette douce pensée
Que, vous ayant moi-même imposé cette loi,
Je vous ai vers Roxane envoyé plein de moi;
Qu'emportant chez les morts toute votre tendresse,
Ce n'est point un amant[10] en vous que je lui laisse.

---

1. Loyauté. — 2. Variante (1672) :
   Et je serais heureux, si je pouvais goûter
   Quelque bonheur, au prix qu'il vient de m'en coûter.

— 3. Il faut supposer que Bajazet apparaît effectivement armé. — 4. Voir p. 43, n. 6. — 5. Voir p. 50, n. 2. — 6. *Je ne* proteste *point.* — 7. Que seul votre péril. — 8. Soucis. — 9. Se serait estimée. — 10. Voir p. 45, n. 4.

- **L'action** — C'est le moment culminant du drame : il ne faut pas qu'Atalide parle la première (Bajazet aurait le temps de la détromper avant l'arrivée de Roxane); il ne faut pas que rien, dans les paroles de Bajazet, puisse détromper Atalide.

  ① Bajazet raconte-t-il ce qui s'est passé? Pense-t-il qu'Acomat s'en est chargé? Comment Atalide va-t-elle interpréter ses premiers mots? A-t-il « parlé »? En rassurant Atalide par le vers 942, ne va-t-il pas la maintenir dans son erreur? Notez l'écho que soulève un mot du vers 944 dans la réponse d'Atalide. Le seul vers où il évoque l'attitude de Roxane n'est-il pas ambigu? Quel sens va donner Atalide au vers 950? Dit-il qu'il épousera Roxane? Affirme-t-il le contraire? Un vers ne semble-t-il pas signifier que le rôle d'Atalide est fini?

  ② Notez que cette maladresse de Bajazet (qui est une adresse dramatique de Racine) provient tout naturellement de son caractère. Sa soumission à Atalide lui dicte le vers 941; avait-il déjà affirmé le sentiment qui provoque les vers 943-946? Sa situation antérieure dans le Sérail n'explique-t-elle pas son enthousiasme des vers 947-948, dans lesquels Atalide verra *la joie* qu'elle lui suppose au vers 932? Sa jeunesse militaire (voir v. 120-122) ne préparait-elle pas l'ardeur guerrière où Atalide verra le plaisir de quitter *ces lieux* (v. 1123) et, avec eux, des *combats* et des *dangers* méprisables?

  ③ « Voilà le germe du *Zaïre, vous pleurez*, dans la *Zaïre* de Voltaire. La situation est plus vive dans *Zaïre;* le mot est mieux placé; il n'est pas précédé de ces locutions oiseuses *que vois-je? qu'avez-vous?* qui en détruisent tout l'effet » (Geoffroy). La stupéfaction dans laquelle se trouve Bajazet ne justifie-t-elle pas ces locutions? Leur succession ne répond-elle pas à un jeu de scène d'Atalide? Le *non* de celle-ci (v. 955) n'en devient-il pas plus naturel?

- **Atalide**

  ④ Distinguez les deux parties de son intervention, leur longueur respective, leur place; le mouvement spontané est-il pour elle d'accepter, l'amertume et les reproches s'insinuant ensuite malgré elle? Ou, au contraire, la seconde partie est-elle essentielle, la première n'étant qu'un procédé oratoire? Notez l'armature fournie par le mot de départ identique des deux mouvements. Quelle est l'évocation qui constitue l'unité des deux parties (vers 959; 961; 964; 970; 973)? Cette évocation est-elle l'indice de la dissimulation ou de l'illogisme d'Atalide (voir la fin de l'acte II et particulièrement le dernier vers)? Peut-on évoquer ici le « Qui te l'a dit » d'Hermione? Atalide peut-elle se dire (v. 962) *sans regret?* Analysez les temps des verbes aux vers 959, 962; plus particulièrement, étudiez dans cette perspective les vers 967-974. Atalide ne semble-t-elle pas vouloir placer au présent la situation irréelle qu'elle évoque? Expliquez le vers 972.

  ⑤ Les mensonges d'Atalide sont à l'origine de la situation; son habileté se retourne contre elle. N'est-elle pas coupable si elle ne peut distinguer les sentiments faux et les vrais?

- **Hommes et femmes** — « Les femmes ont toujours dans Racine l'avantage sur leurs antagonistes, par la subtilité du discours, les sous-entendus et les intentions du langage, les nuances du caractère, la délicatesse, la profondeur pathétique, la violence des intuitions même et les prémonitions » (Thierry Maulnier, *Racine*).

  ⑥ Cette opinion trouve-t-elle ici une vérification?

BAJAZET. -⁹⁷⁵ Que parlez-vous, Madame, et d'époux et d'amant[1]?
O Ciel! de ce discours quel est le fondement?
Qui peut vous avoir fait ce récit infidèle?
Moi, j'aimerais Roxane, ou je vivrais pour elle,
Madame! Ah! croyez-vous que, loin de le penser[2],
⁹⁸⁰ Ma bouche seulement eût pu le prononcer?
Mais l'un ni l'autre[3] enfin[4] n'était point nécessaire :
La Sultane a suivi son penchant ordinaire;
Et, soit qu'elle ait d'abord[5] expliqué mon retour
Comme un gage certain qui marquait mon amour,
⁹⁸⁵ Soit que le temps trop cher[6] la pressât de se rendre[7],
A peine ai-je parlé que, sans presque m'entendre,
Ses pleurs précipités ont coupé mes discours :
Elle met dans ma main sa fortune[8], ses jours,
Et, se fiant enfin à ma reconnaissance,
⁹⁹⁰ D'un hymen infaillible[9] a formé l'espérance.
Moi-même, rougissant de sa crédulité,
Et d'un amour si tendre et si peu mérité,
Dans ma confusion, que Roxane, Madame,
Attribuait encore[10] à l'excès de ma flamme,
⁹⁹⁵ Je me trouvais barbare, injuste, criminel.
Croyez qu'il m'a fallu, dans ce moment cruel,
Pour garder jusqu'au bout un silence perfide,
Rappeler tout l'amour que j'ai pour Atalide.
Cependant, quand je viens, après de tels efforts,
¹⁰⁰⁰ Chercher quelque secours contre tous mes remords,
Vous-même contre moi je vous vois, irritée,
Reprocher votre mort à mon âme agitée.
Je vois enfin, je vois qu'en ce même moment[11]
Tout ce que je vous dis vous touche faiblement.
¹⁰⁰⁵ Madame, finissons et mon trouble et le vôtre.
Ne nous affligeons point vainement l'un et l'autre.
Roxane n'est pas loin; laissez agir ma foi[12] :
J'irai, bien plus content et de vous et de moi,
Détromper son amour d'une feinte forcée,
¹⁰¹⁰ Que je n'allais tantôt[13] déguiser ma pensée.
La voici.

---

1. Voir p. 45, n. 4. — 2. Voir le vers 916. — 3. Il *n'était nécessaire* ni de *le penser* ni de le dire. — 4. Somme toute. — 5. Immédiatement. — 6. Précieux. — 7. Céder. — 8. Son sort. — 9. Qui ne peut manquer d'arriver. — 10. En plus. — 11. En ce moment même. — 12. Ma sincérité. — 13. Il y a un instant.

ATALIDE. —   Juste Ciel ! où va-t-il s'exposer ?
        Si vous m'aimez, gardez[1] de la désabuser.

SCÈNE V. — BAJAZET, ROXANE, ATALIDE.

ROXANE. — Venez, Seigneur, venez : il est temps de paraître,
        Et que tout le Sérail reconnaisse son maître :
1015 Tout ce peuple nombreux dont[2] il est habité,
        Assemblé par mon ordre, attend ma volonté.
        Mes esclaves gagnés, que le reste va suivre,
        Sont les premiers sujets que mon amour vous livre.
        L'auriez-vous cru, Madame, et qu'un si prompt retour[3]
1020 Fît à tant de fureur succéder tant d'amour ?
        Tantôt[4] à me venger fixe[5] et déterminée,
        Je jurais qu'il voyait sa dernière journée :
        A peine cependant Bajazet m'a parlé,
        L'amour fit le serment[6], l'amour l'a violé.
1025 J'ai cru dans son désordre[7] entrevoir sa tendresse :
        J'ai prononcé sa grâce, et je crois sa promesse.

---

1. Veillez à ne pas. — 2. Voir p. 52, n. 3. — 3. Revirement. — 4. Tout à l'heure. — 5. Réso-lue. — 6. Voir le vers 1022. — 7. Trouble.

● **Le récit de Bajazet** — Voici la vérité, mais elle arrive quelques secondes trop tard ; Atalide aura juste le temps de le mettre en garde.

① Confrontez ce récit véridique à celui d'Acomat (sc. 2). Comparez particulièrement les vers 986 et 880 ; voyez ce que disent du mariage projeté Acomat (v. 867) et Bajazet (v. 990) ; la *confusion* signalée aux vers 993-994 ne justifie-t-elle pas en partie l'erreur d'Acomat aux vers 887-888 ? Ne faut-il pas prendre le vers 988 au sens propre (voir le v. 886) ? L'intervalle qui sépare le vers 888 du vers 889 n'est-il pas expliqué par le vers 997 ? Cette analyse doit être une occasion d'apprécier l'habileté technique de Racine.

② La vive réaction de Bajazet n'est-elle pas la conséquence d'un trait de caractère important (voir la seconde préface, p. 33) ? Quelle peut être l'attitude d'Atalide qui provoque les vers 1003-1004 ? Notez qu'une fois encore c'est une attitude trompeuse d'Atalide, dont le *trouble* (v. 1005) est mal interprété, qui provoque une décision capitale.

● **Roxane**
③ Ses paroles sont-elles de nature à faire revenir Bajazet sur la décision qu'il vient de prendre ? Notez les détails susceptibles de le braquer : étudiez dans ce sens les vers 1016-1018. Son observation sur son prompt revirement est-elle rassurante ? Les termes du vers 1020 ne sont-ils pas interchangeables ? Voyez aussi le vers 1024.

BAJAZET. — Oui, je vous ai promis et j'ai donné ma foi [1]
De n'oublier jamais tout ce que je vous doi [2] ;
J'ai juré que mes soins, ma juste complaisance,
1030 Vous répondront toujours de ma reconnaissance.
Si je puis à ce prix mériter vos bienfaits,
Je vais de vos bontés attendre les effets.

SCÈNE VI. — ROXANE, ATALIDE.

ROXANE. — De quel étonnement [3], ô Ciel ! suis-je frappée !
Est-ce un songe ? et mes yeux ne m'ont-ils point trompée ?
1035 Quel est ce sombre accueil, et ce discours glacé
Qui semble révoquer tout ce qui s'est passé ?
Sur quel espoir croit-il que je me sois rendue [4],
Et qu'il ait regagné mon amitié [5] perdue ?
J'ai cru qu'il me jurait que jusques à la mort
1040 Son amour me laissait maîtresse de son sort.
Se repent-il déjà de m'avoir apaisée ?
Mais moi-même tantôt [6] me serais-je abusée ?
Ah !... Mais il vous parlait : quels étaient ses discours,
Madame ?

ATALIDE. — Moi, Madame ! Il vous aime toujours.

ROXANE. — 1045 Il y va de sa vie, au moins [7], que je le croie.
Mais de grâce, parmi tant de sujets de joie [8],
Répondez-moi, comment pouvez-vous expliquer
Ce chagrin [9] qu'en sortant il m'a fait remarquer [10] ?

ATALIDE. — Madame, ce chagrin n'a point frappé ma vue.
1050 Il m'a de vos bontés [11] longtemps entretenue ;
Il en était tout plein quand je l'ai rencontré :
J'ai cru le voir sortir tel qu'il était entré.
Mais, Madame, après tout, faut-il être surprise
Que tout près d'achever cette grande entreprise,
1055 Bajazet s'inquiète, et qu'il laisse échapper
Quelque marque des soins [12] qui doivent [13] l'occuper ?

ROXANE. — Je vois qu'à l'excuser votre adresse est extrême :
Vous parlez mieux pour lui qu'il ne parle lui-même.

ATALIDE. — Et quel autre intérêt...

ROXANE. — Madame, c'est assez.

---

1. Parole. — 2. Voir p. 54, n. 6. — 3. Stupéfaction. — 4. Voir le vers 1025. — 5. « Se dit quelquefois pour amour » (*Dict. de l'Acad.*, 1694). — 6. Voir p. 75, n. 4. — 7. Équivaut à : Je vous en avertis ; prenez-y garde. — 8. Les *sujets de joie* que devait avoir Bajazet. — 9. Voir p. 38, n. 4. — 10. *Il m'a* manifesté. — Voir le vers 273. — 12. Soucis. — 13. *Qui doivent* nécessairement.

¹⁰⁶⁰ Je conçois vos raisons mieux que vous ne pensez.
Laissez-moi : j'ai besoin d'un peu de solitude.
Ce jour me jette aussi dans quelque inquiétude[1];
J'ai, comme Bajazet, mon chagrin[2] et mes soins[3];
Et je veux un moment y penser sans témoins.

SCÈNE VII. — ROXANE, *seule*.

ROXANE. ¹⁰⁶⁵ De tout ce que je vois, que faut-il que je pense?
Tous deux à me tromper sont-ils d'intelligence[4]?
Pourquoi ce changement, ce discours, ce départ?
N'ai-je pas même entre eux surpris quelque regard?
Bajazet interdit! Atalide étonnée[5]!
¹⁰⁷⁰ O Ciel! à cet affront m'auriez-vous condamnée?
De mon aveugle amour seraient-ce là les fruits?
Tant de jours douloureux, tant d'inquiètes[6] nuits,
Mes brigues[7], mes complots, ma trahison fatale,
N'aurais-je tout tenté que pour une rivale?

---

1. Agitation d'esprit. — 2. Voir p. 38, n. 4. — 3. Soucis. — 4. *Sont-ils* d'accord pour *me tromper?* — 5. Stupéfaite. — 6. Sans repos. — 7. Voir le vers 233.

● **Roxane**

① Atalide est en scène; Roxane en tient-elle compte? Alors qu'elle vient d'être cruellement détrompée, comment jugez-vous ses premières réactions? Correspondent-elles à cette « crédulité » qui a été signalée à plusieurs reprises (notez le vers 1034, le verbe révélateur du vers 1036)? Roxane a-t-elle envisagé, réclamé, le mariage qu'Atalide a imaginé? Quel est le sentiment marqué par le *ah!* du vers 1043? l'excès de la douleur, la colère, le retour subit à la réalité devant Atalide?

● **Atalide**

② Distinguez les grands mouvements de sa méditation, parfaitement équilibrés. Montrez comment la lucidité sur elle-même coïncide avec sa lucidité vis-à-vis des autres; en quels termes nets, mais mesurés, est décrit l'amour de Roxane pour Bajazet?

③ Rompue depuis longtemps à la dissimulation, elle pourrait encore tout sauver. Imputez-vous à son trouble la brève et sèche réponse du vers 1044? Comment jugez-vous sa réponse, lorsqu'elle est à nouveau sollicitée par Roxane (qui menace, prie, insiste)? Notez un mot important au vers 1050; ne permet-il pas de penser que c'est volontairement qu'Atalide reste aussi froide? Le vers 1052 est-il maladroit ou trop sincère? La phrase commencée au vers 1059 n'est-elle pas un aveu? Si elle n'arrive plus à tromper Roxane, doit-on penser que c'est parce que celle-ci, pour la première fois, peut juxtaposer les propos de Bajazet et ceux d'Atalide?

1075   Mais peut-être qu'aussi, trop prompte à m'affliger,
J'observe de trop près un chagrin [1] passager :
J'impute à son amour l'effet de son caprice [2].
N'eût-il pas jusqu'au bout conduit son artifice?
Prêt à voir le succès de son déguisement [3],
1080 Quoi! ne pouvait-il pas feindre encore un moment?
Non, non; rassurons-nous : trop d'amour m'intimide [4].
Et pourquoi dans son cœur redouter Atalide?
Quel serait son dessein? Qu'a-t-elle fait pour lui?
Qui de nous deux enfin [5] le couronne aujourd'hui?
1085 Mais, hélas! de l'amour ignorons-nous l'empire?
Si par quelque autre charme [6] Atalide l'attire,
Qu'importe qu'il nous doive et le sceptre et le jour?
Les bienfaits dans un cœur balancent-ils [7] l'amour?
Et sans chercher plus loin, quand l'ingrat me sut plaire,
1090 Ai-je mieux reconnu les bontés de son frère?
Ah! si d'une autre chaîne il n'était point lié,
L'offre [8] de mon hymen l'eût-il tant effrayé?
N'eût-il pas sans regret secondé mon envie?
L'eût-il refusé [8] même aux dépens de sa vie?
1095 Que de justes raisons... Mais qui vient me parler?
Que veut-on?

SCÈNE VIII. — ROXANE, ZATIME.

ZATIME. —   Pardonnez si j'ose vous troubler,
Mais, Madame, un esclave arrive de l'armée;
Et, quoique sur la mer la porte fût fermée,
Les gardes, sans tarder, l'ont ouverte à genoux
1100 Aux ordres du Sultan qui s'adressent à vous.
Mais, ce qui me surprend, c'est Orcan qu'il envoie.

ROXANE. — Orcan!

ZATIME. —   Oui, de tous ceux que le Sultan emploie,
Orcan, le plus fidèle à servir ses desseins,
Né sous le ciel brûlant des plus noirs Africains [9].
1105 Madame, il vous demande avec impatience.
Mais j'ai cru vous devoir avertir par avance;
Et souhaitant surtout qu'il ne vous surprît pas,
Dans votre appartement j'ai retenu ses pas.

---

1. Voir p. 38, n. 4. — 2. Je reproche à l'*amour* qu'il a pour moi une attitude qui ne vient que d'un *caprice*. — 3. Artifice pour cacher la vérité. — 4. Me donne de la crainte. — 5. Après tout. — 6. Voir p. 59, n. 1. — 7. Égalent-ils en poids. — 8. Le dictionnaire de Richelet (1680) et le dictionnaire de l'Académie (1694) donnent le mot féminin, mais le masculin n'est pas sans exemple. — 9. Voir le vers 479.

ROXANE. — Quel malheur imprévu vient encor me confondre[1]?
1110 Quel peut être cet ordre? et que puis-je répondre?
Il n'en faut pas douter, le Sultan, inquiet,
Une seconde fois condamne Bajazet.
On ne peut sur ses jours sans moi rien entreprendre :
Tout m'obéit ici. Mais dois-je le défendre?
1115 Quel est mon empereur? Bajazet? Amurat?
J'ai trahi l'un; mais l'autre est peut-être un ingrat.
Le temps presse. Que faire en ce doute funeste?
Allons, employons bien le moment qui nous reste.
Ils ont beau se cacher. L'amour le plus discret[2]
1120 Laisse par quelque marque échapper son secret.
Observons Bajazet, étonnons[3] Atalide;
Et couronnons l'amant, ou perdons le perfide.

---

1. Bouleverser. — 2. Qui demeure secret. — 3. Voir p. 31, n. 4.

■■

● **L'action** — « Portés de droite et de gauche, dans des oscillations qui donnent à chaque acte et presque à chaque scène son dénouement particulier, les personnages arrivent d'ordinaire vers la fin du troisième acte à ce point critique de l'action, qui est au bord du dénouement définitif, et qu'on appelle coup de théâtre » (Moreau, *Racine*).

« Nulle surprise, aucun de ces *jeux de théâtre* que Racine reproche à Corneille. S'il vient des coups imprévus ou des révélations subites [...] chacun de ces soubresauts de l'action est comme une expérience tentée sur les caractères, le choc nécessaire qui les contraint à s'avouer ou à se ressaisir. Venu du dehors, il entre dans la ligne intérieure du drame psychologique; il ne s'y ajoute pas comme un épisode romanesque » (Moreau, *Racine*).

① Analysez dans cette perspective les résultats de la révélation et du coup imprévu qui surprennent Roxane.

● **Le monologue de Roxane**

② Dans la seconde partie de ce monologue, distinguez les diverses raisons que Roxane trouve pour se rassurer : celles qui sont tirées de son propre tempérament, du caractère de Bajazet, de la logique, de la situation d'Atalide. Rapprochez le vers 1081 du vers 281.

③ Quelle différence voyez-vous entre la première partie et la troisième? Les interrogations y sont-elles de même nature? Sans réponses dans la première partie, ne constituent-elles pas des réponses dans la troisième? Notez qu'après avoir trouvé des raisons d'inquiétude dans la nature de l'amour et sa propre attitude, Roxane en découvre brusquement un brusque changement par un détail du vers 1090) dans le souvenir de sa première entrevue avec Bajazet (acte II, sc. 1). Il ne s'agit plus, cette fois, de regards surpris : analysez dans ce sens le vers interrompu.

■■

ACTE IV

Scène première. — ATALIDE, ZAÏRE.

ATALIDE. — Ah! sais-tu mes frayeurs? sais-tu que dans ces lieux
J'ai vu du fier[1] Orcan le visage odieux?
1125 En ce moment fatal, que je crains sa venue!
Que je crains... Mais, dis-moi, Bajazet t'a-t-il vue?
Qu'a-t-il dit? Se rend-il, Zaïre, à mes raisons?
Ira-t-il voir Roxane et calmer ses soupçons?

ZAÏRE. — Il ne peut plus la voir sans qu'elle le commande :
1130 Roxane ainsi l'ordonne; elle veut qu'il l'attende.
Sans doute[2] à cet esclave elle veut le cacher.
J'ai feint en le voyant de ne le point chercher.
J'ai rendu[3] votre lettre, et j'ai pris sa réponse.
Madame, vous verrez ce qu'elle vous annonce.

ATALIDE lit. ⎯1135   Après tant d'injustes détours[4],
Faut-il qu'à feindre encor votre amour me convie?
  Mais je veux bien prendre soin d'une vie
  Dont vous jurez que dépendent vos jours.
Je verrai la Sultane; et, par ma complaisance[5],
1140 Par de nouveaux serments de ma reconnaissance[6],
J'apaiserai, si je puis, son courroux.
N'exigez rien de plus : ni la mort, ni vous-même
Ne me ferez jamais prononcer que je l'aime,
  Puisque jamais je n'aimerai que vous.

1145 Hélas! Que me dit-il? Croit-il que je l'ignore?
Ne sais-je pas assez qu'il m'aime, qu'il m'adore?
Est-ce ainsi qu'à mes vœux il sait s'accommoder[7]?
C'est Roxane, et non moi, qu'il faut persuader.
De quelle crainte encor me laisse-t-il saisie?
1150 Funeste aveuglement! Perfide jalousie!
Récit menteur, soupçons que je n'ai pu celer[8],
Fallait-il vous entendre, ou fallait-il parler[9]?
C'était fait, mon bonheur surpassait mon attente.

---

1. Farouche. — 2. *Sans* aucun *doute*. — 3. Remis. — 4. Ruses. — 5. Voir p. 37, n. 3. —
6. Voir les vers 269-273. — 7. Se conformer. — 8. Cacher. — 9. Pour quelle raison *fallait-il
entendre* ce récit, ou bien, une fois entendu le récit, quelle raison m'a poussée à *parler?*

J'étais aimée, heureuse, et Roxane contente [1].
1155 Zaïre, s'il se peut, retourne sur tes pas :
Qu'il l'apaise. Ces mots ne me suffisent pas [2].
Que sa bouche, ses yeux, tout l'assure qu'il l'aime.
Qu'elle le croie enfin [3]. Que ne puis-je moi-même
Échauffant par mes pleurs ses soins [4] trop languissants [5],
1160 Mettre dans ses discours tout l'amour que je sens !
Mais à d'autres périls je crains de le commettre [6].

ZAÏRE. — Roxane vient à vous.

ATALIDE. —   Ah ! cachons cette lettre.

SCÈNE II. — ROXANE, ATALIDE, ZATIME, ZAÏRE.

ROXANE, *à Zatime.* — Viens. J'ai reçu cet ordre. Il faut l'intimider [7].

ATALIDE, *à Zaïre.* — Va, cours ; et tâche enfin de le persuader.

---

1. Satisfaite. — 2. Voir le vers 1141. — 3. Voir le vers 1045. — 4. Terme du langage amoureux : marques de dévouement à la personne aimée. — 5. Sans vivacité ni ardeur. — 6. L'exposer. — 7. Voir le vers 1081.

- **Le rythme** — « Ces vers tumultueux, où le rythme semble réduit à sa plus simple expression, et n'est sensible qu'aux oreilles exercées, ne sont pas rares, il s'en faut, dans la poésie de Racine [...]. La passion dans ce drame est trop active, trop constamment émue et bouillonnante, pour que le langage versifié soit uni et régulier » (Le Bidois, *l'Action dans la tragédie de Racine*).

  ① A partir de ce texte (qui vise expressément le début de l'acte IV), étudiez le langage d'Atalide.

- **L'action**

  ② Faites le point : quelle est la situation de Bajazet ? Cette situation ne rend-elle pas étrange la liberté de manœuvre de Zaïre ? Les vers 1132, 1133 sont-ils vraisemblables ? Quels sont les sentiments de Bajazet ? Peut-on imaginer ceux de Roxane (1129-1131) ? Dans quel espoir nous laisse la sortie de Zaïre ?

- **Le langage** — Dans son *Journal*, Gide critique chez Racine « l'usage un peu trop fréquent des épithètes *juste* ou *injuste* qui viennent facilement boucher des trous. »

  ③ Discutez cette remarque à propos du vers 1135. Relevez ces épithètes dans l'ensemble de la pièce et appréciez leur valeur.

- **Les sentiments**

  ④ « Il y a quelque hardiesse de la psychologie racinienne dans l'étalage des inconséquences d'Atalide. Ces quatre vers [1145-1148] sont en contradiction violente avec tout l'acte III » (Raymond Picard). Que pensez-vous de l'attitude d'Atalide ? Étudiez les textes cités à son sujet, p. 119. Une autre héroïne racinienne n'a-t-elle pas une réaction comparable ?

SCÈNE III. — ROXANE, ATALIDE, ZATIME.

ROXANE. —[1165] Madame, j'ai reçu des lettres de l'armée.
De tout ce qui s'y passe êtes-vous informée?

ATALIDE. — On m'a dit que du camp un esclave est venu;
Le reste est un secret qui ne m'est pas connu.

ROXANE. — Amurat est heureux : la fortune est changée,
[1170] Madame, et sous ses lois Babylone est rangée.

ATALIDE. — Hé quoi? Madame, Osmin...

ROXANE. — Était mal averti,
Et depuis son départ cet esclave est parti.
C'en est fait.

ATALIDE. — Quel revers[1] !

ROXANE. — Pour comble de disgrâces[2],
Le Sultan, qui l'envoie, est parti sur ses traces.

ATALIDE. —[1175] Quoi? les Persans armés ne l'arrêtent donc pas?

ROXANE. — Non, Madame : vers nous il revient à grands pas.

ATALIDE. — Que je vous plains, Madame! et qu'il est nécessaire
D'achever promptement ce que vous vouliez faire!

ROXANE. — Il est tard de vouloir s'opposer au vainqueur.

ATALIDE. —[1180] O Ciel !

ROXANE. — Le temps n'a point adouci sa rigueur.
Vous voyez dans mes mains sa volonté suprême.

ATALIDE. — Et que vous mande-t-il?

ROXANE. — Voyez : lisez vous-même.
Vous connaissez, Madame, et la lettre[3] et le sein[4].

ATALIDE. — Du cruel Amurat je reconnais la main.

(Elle lit)

[1185] *Avant que Babylone éprouvât[5] ma puissance,*
Je vous ai fait porter mes ordres absolus.
Je ne veux point douter de votre obéissance,
Et crois que maintenant Bajazet ne vit plus.
Je laisse sous mes lois Babylone asservie,
[1190] *Et confirme en partant mon ordre souverain.*
Vous, si vous avez soin de votre propre vie,
Ne vous montrez à moi que sa tête à la main.

---

1. Changement. — 2. Voir p. 33, n. 2. — 3. L'écriture. — 4. La signature; *sein* pour *seing;*
licence poétique. — 5. Apprît à connaître.

ATALIDE. — *Du cruel Amurat je reconnais la main.*
(IV, 3, v. 1184)

Geneviève Martinet (ZATIME), Annie Ducaux (ATALIDE),
Thérèse Marney (ROXANE). Mise en scène de Jean Marchat
Comédie-Française, novembre 1957

ATALIDE. — *Je me meurs* (IV, **3**, v. 1205).

Gravure de Gérard (1801)

ROXANE. — Hé bien?

ATALIDE, *à part*.

— Cache tes pleurs, malheureuse Atalide.

ROXANE. — Que vous semble?

ATALIDE. — Il poursuit son dessein parricide[1].

1195 Mais il pense proscrire[2] un prince sans appui :
Il ne sait pas l'amour qui vous parle pour lui;
Que vous et Bajazet vous ne faites qu'une âme;
Que plutôt, s'il le faut, vous mourrez...

ROXANE. — Moi, Madame?

Je voudrais le sauver, je ne le puis haïr;

1200 Mais...

ATALIDE. — Quoi donc? qu'avez-vous résolu?

ROXANE. — D'obéir.

ATALIDE. — D'obéir!

ROXANE. — Et que faire en ce péril extrême?

Il le faut.

ATALIDE. — Quoi! ce prince aimable[3]... qui vous aime,
Verra finir ses jours qu'il vous a destinés!

ROXANE. — Il le faut; et déjà mes ordres sont donnés.

ATALIDE. -1205 Je me meurs.

ZATIME. — Elle tombe et ne vit plus qu'à peine.

ROXANE. — Allez, conduisez-la dans la chambre prochaine[4].
Mais au moins[5], observez ses regards, ses discours,
Tout ce qui convaincra[6] leurs perfides amours.

---

1. « Il se dit aussi par extension de celui qui a tué sa mère, son frère, sa sœur, ses enfants, etc. » (*Dict. de l'Acad.*, 1694). — 2. Condamner à mort. — 3. Voir p. 36, n. 16. — 4. Proche. — 5. Voir p. 76, n. 7. — 6. Rendra manifestes.

■■

● **Le dialogue**

① Dans le combat inégal que constitue cette scène, Racine utilise presque uniquement des phrases très courtes : ce style se rencontre-t-il dans d'autres passages de la tragédie? Cette brièveté s'explique-t-elle par les sentiments, pourtant diamétralement opposés, des deux interlocutrices? Roxane voudrait-elle, Atalide pourrait-elle en dire plus?

● **Atalide**

② Étudiez l'évolution rapide de ses sentiments : le calme lourd d'inquiétude, la stupéfaction, la maîtrise de soi (v. 1177-1178), le désarroi, la reprise. Notez la première maladresse dans les vers 1196-1198, la seconde, plus grave encore, dans le vers 1202.

■■

Scène IV. — ROXANE, *seule*.

ROXANE. — Ma rivale à mes yeux s'est enfin déclarée.
1210 Voilà sur quelle foi[1] je m'étais assurée !
Depuis six mois entiers j'ai cru que, nuit et jour,
Ardente, elle veillait au soin de mon amour :
Et c'est moi qui du sien ministre[2] trop fidèle,
Semble depuis six mois ne veiller que pour elle ;
1215 Qui me suis appliquée à chercher les moyens
De lui faciliter tant d'heureux entretiens ;
Et qui même, souvent, prévenant son envie,
Ai hâté les moments les plus doux de sa vie.
Ce n'est pas tout : il faut maintenant m'éclaircir[3]
1220 Si dans sa perfidie elle a su réussir ;
Il faut... Mais que pourrais-je apprendre davantage ?
Mon malheur n'est-il pas écrit sur son visage ?
Vois-je pas, au travers de son saisissement,
Un cœur dans ses douleurs content de son amant ?
1225 Exempte des soupçons dont je suis tourmentée,
Ce n'est que pour ses jours qu'elle est épouvantée.
N'importe : poursuivons. Elle peut, comme moi,
Sur des gages trompeurs s'assurer de[4] sa foi[5].
Pour le faire expliquer[6], tendons-lui quelque piège.
1230 Mais quel indigne emploi[7] moi-même m'imposé-je ?
Quoi donc ? à me gêner[8] appliquant mes esprits,
J'irai faire à mes yeux éclater ses mépris ?
Lui-même il peut prévoir et tromper mon adresse.
D'ailleurs, l'ordre, l'esclave, et le Vizir me presse.
1235 Il faut prendre parti, l'on m'attend. Faisons mieux :
Sur tout ce que j'ai vu fermons plutôt les yeux ;
Laissons de leur amour la recherche importune ;
Poussons à bout l'ingrat, et tentons la fortune ;
Voyons si, par mes soins sur le trône élevé,
1240 Il osera trahir l'amour qui l'a sauvé,
Et si, de mes bienfaits lâchement libérale[9],
Sa main en osera couronner ma rivale.
Je saurai bien toujours retrouver le moment
De punir, s'il le faut, la rivale et l'amant[10] :

---

1. Loyauté. — 2. « Celui dont on se sert pour l'exécution de quelque chose » (*Dict. de l'Acad.*, 1694). — 3. M'assurer. — 4. Se fier à. — 5. Voir la n. 1. — 6. *Pour le faire* s'*expliquer.* — 7. Rôle. — 8. « Tourmenter le corps ou l'esprit » (*Dict.* de Furetière, 1690). — 9. Généreuse· — 10. Voir p. 45, n. 4.

¹²⁴⁵ Dans ma juste fureur, observant le perfide,
  Je saurai le surprendre avec son Atalide;
  Et d'un même poignard les unissant tous deux,
  Les percer l'un et l'autre, et moi-même après eux.

  Voilà, n'en doutons point, le parti qu'il faut prendre.
¹²⁵⁰ Je veux tout ignorer.

- **Le problème du monologue** — « Quant au monologue, il est un drame intérieur, le moment où l'âme ébranlée se dédouble, trouve en elle-même l'adversaire à qui se prendre et avec qui discuter » (Moreau, *Racine*).

  « Justifié par la passion du personnage en scène, il doit être toute passion; suspendant (en apparence) le cours régulier de l'action, il faut qu'il ait sur le drame des réactions particulières, d'autant plus fortes qu'elles sont plus dissimulées. C'est dire qu'un bon monologue doit être au fond un dialogue débordant de vie et que ce moment consacré en apparence à la pure réflexion est en réalité un haut période de l'action » (Le Bidois, *l'Action dans la tragédie de Racine*).

  ① Le monologue de Roxane répond-il à ces définitions?

- **Roxane**

  ② Faites le plan de ce monologue en distinguant les diverses étapes par lesquelles passent les sentiments de Roxane.

  Quelles sont ses premières réactions en apprenant qu'elle a une rivale? Ont-elles la violence à laquelle on pouvait s'attendre? Pour en décider, étudiez le rythme de ce premier moment. Rapprochez le vers 1209 des vers 257, 421, 1273, pour noter une nuance importante du caractère de Roxane. Sa longue crédulité est-elle vraisemblable?

  Notez qu'à deux reprises elle envisage de pousser son enquête jusqu'à la découverte de la vérité totale et qu'elle y renonce deux fois : l'opposition entre les verbes volontaires des vers 1219 et 1221 et la suspension de la phrase ne sont-elles pas révélatrices?

  « Ce n'est pas dans la mort que réside le tragique : elle n'en est le plus souvent que la conséquence » (Raymond Picard). Utilisez ce jugement pour commenter deux des vers prononcés par Roxane.

  L'espoir affirmé aux vers 1227-1229 est-il dans la logique du caractère?

  Distinguez toutes les raisons pour lesquelles Roxane refuse de poursuivre sa recherche : le sentiment de sa dignité personnelle (n'oubliez pas qu'elle n'est qu'une esclave), le refus de la torture morale, la peur d'être inférieure dans le combat du mensonge, le temps qui presse, le temps qui lui reste; la crainte de savoir la vérité n'est-elle pas l'argument décisif, bien que non exprimé?

  Que pensez-vous de l'attitude à laquelle se range finalement Roxane? Est-elle, elle aussi, dans la logique de son caractère? Appréciez la valeur psychologique (et « turque » peut-être?) de la seconde partie du vers 1238. Une nouvelle Roxane n'apparaît-elle pas dans le dernier mouvement du monologue? Cependant, le verbe *retrouver*, la proposition conditionnelle du vers 1244 ne marquent-ils pas une nuance importante? Quelle est la valeur du possessif inclus dans le vers 1246?

  Quel sens donnez-vous aux derniers mots de Roxane?

SCÈNE V. — ROXANE, ZATIME.

ROXANE. —   Ah! que viens-tu m'apprendre,
Zatime? Bajazet en est-il amoureux?
Vois-tu, dans ses discours, qu'ils s'entendent tous deux?

ZATIME. — Elle n'a point parlé : toujours évanouie,
Madame, elle ne marque aucun reste de vie
1255 Que par de longs soupirs et des gémissements,
Qu'il semble que son cœur va suivre à tous moments.
Vos femmes, dont le soin à l'envi la soulage,
Ont découvert son sein pour leur[1] donner passage.
Moi-même, avec ardeur secondant ce dessein,
1260 J'ai trouvé ce billet enfermé dans son sein :
Du prince votre amant j'ai reconnu la lettre[2],
Et j'ai cru qu'en vos mains je devais le remettre.

ROXANE. — Donne... Pourquoi frémir? et quel trouble soudain
Me glace à cet objet et fait trembler ma main?
1265 Il peut l'avoir écrit sans m'avoir offensée;
Il peut même... Lisons, et voyons sa pensée :
. . . . *Ni la mort, ni vous-même,*
Ne me ferez jamais prononcer que je l'aime,
      Puisque jamais je n'aimerai que vous.

Ah! de la trahison me voilà donc instruite!
1270 Je reconnais l'appas[3] dont[4] ils m'avaient séduite[5].
Ainsi donc mon amour était récompensé,
Lâche, indigne du jour que je t'avais laissé!
Ah! je respire enfin; et ma joie est extrême
Que le traître une fois se soit trahi lui-même.
1275 Libre des soins[6] cruels où j'allais m'engager,
Ma tranquille fureur n'a plus qu'à se venger.
Qu'il meure : vengeons-nous. Courez; qu'on le saisisse;
Que la main des muets s'arme pour son supplice;
Qu'ils viennent préparer ces nœuds infortunés
1280 Par qui[7] de ses pareils les jours sont terminés.
Cours, Zatime, sois prompte à servir ma colère.

ZATIME. — Ah! Madame!

ROXANE. —   Quoi donc?

---

1. Aux *soupirs* et aux *gémissements*. — 2. L'écriture. — 3. « Amorce, charme » (*Dict.* de Richelet, 1680). — 4. Voir p. 52, n. 3. — 5. Trompée. — 6. Soucis. — 7. *Par* lesquels.

ZATIME. — Si, sans trop vous déplaire,
Dans les justes transports[1], Madame, où je vous vois,
J'osais vous faire entendre une timide voix :
1285 Bajazet, il est vrai, trop indigne de vivre,
Aux mains de ces cruels mérite qu'on le livre;
Mais, tout ingrat qu'il est, croyez-vous aujourd'hui
Qu'Amurat ne soit pas plus à craindre que lui?
Et qui sait si déjà quelque bouche infidèle
1290 Ne l'a point averti de votre amour nouvelle?
Des cœurs comme le sien, vous le savez assez,
Ne se regagnent plus quand ils sont offensés;

---

1. Voir p. 66, n. 1.

- **La lettre découverte** — « On doit regretter ce billet surpris dans le sein d'Atalide [...]. Le seul jeu de la passion en des âmes paralysées pouvait ménager l'économie de la pièce. C'eût été un jeu pour Racine que de remplacer un document insolite par une réalité psychologique et, pour surprendre Atalide et Bajazet, Roxane n'avait qu'à les réunir et à les regarder. Il a joué là plus facile qu'il ne fait communément » (Gonzague Truc, *Racine*).
  « La lettre si galamment tournée de Bajazet que cache Atalide, qui se trouve sur elle pendant son évanouissement, qu'elle cherche en vain : artifice de roman » (Moreau, *Racine*).
  « Il n'y a guère de pièce où Racine se soit avec moins d'adresse servi des plus petits moyens. Le grand ressort de l'intrigue est une lettre surprise dans le corsage d'Atalide, et lue tour à tour par tous les intéressés. C'est un artifice bien mesquin » (Sarcey, *Quarante ans de théâtre*).
  ① Êtes-vous de cet avis? Le caractère de Roxane, tel qu'il est décrit dans la scène précédente, lui permettait-il de « surprendre » Atalide et Bajazet avec autant d'aisance que l'affirme Gonzague Truc?
- **Roxane**
  ② Ses questions ne sont-elles pas en contradiction avec l'attitude affirmée à la fin de la scène précédente?
- **Le conflit tragique** — « Ce qui caractérise la tragédie, si nous donnons à ce mot son sens rigoureux, c'est le fait que les conflits y sont essentiellement *insolubles* et non seulement non résolus, car il peut y avoir des pièces dans lesquelles les conflits ne sont pas résolus pour des raisons accidentelles [...]. Une pièce comme *Bajazet* n'est pas tragique car le conflit non résolu à cause d'un accident, la découverte d'une lettre, n'est pas essentiellement insoluble » (Goldmann, *le Théâtre tragique*).
  ③ Êtes-vous de cet avis? Quelles solutions imaginez-vous au conflit?
- **Une cheville** (v. 1291)?
  ④ « L'esclave de Roxane [...] fait appel à l'expérience de sa maîtresse, qui connaît par d'affreux exemples le caractère du Sultan. Supprimez ce *vous le savez assez*, l'avis ne perd-il pas beaucoup de valeur persuasive? » (Pommier, *Aspects de Racine*).

Et la plus prompte mort, dans ce moment sévère,
Devient de leur amour la marque la plus chère[1].

ROXANE. -[1295] Avec quelle insolence et quelle cruauté
Ils se jouaient tous deux de ma crédulité !
Quel penchant, quel plaisir je sentais à les croire !
Tu ne remportais pas une grande victoire,
Perfide, en abusant ce cœur préoccupé[2],
[1300] Qui lui-même craignait de se voir détrompé.
Moi ! qui de ce haut rang qui me rendait si fière,
Dans le sein du malheur t'ai cherché la première
Pour attacher des jours tranquilles, fortunés,
Aux périls dont tes jours étaient environnés,
[1305] Après tant de bonté, de soins[3], d'ardeurs extrêmes,
Tu ne saurais jamais prononcer que tu m'aimes[4] !
Mais dans quel souvenir me laissé-je égarer ?
Tu pleures, malheureuse ? Ah ! tu devais pleurer
Lorsque, d'un vain[5] désir à ta perte poussée,
[1310] Tu conçus de le voir la première pensée.
Tu pleures ? Et l'ingrat, tout prêt à te trahir,
Prépare les discours dont il veut t'éblouir[6].
Pour plaire à ta rivale, il prend soin de sa vie.
Ah ! traître, tu mourras ! Quoi ? tu n'es point partie ?
[1315] Va. Mais nous-même, allons, précipitons nos pas :
Qu'il me voie, attentive au soin de son trépas,
Lui montrer à la fois, et l'ordre de son frère,
Et de sa trahison ce gage trop sincère.
Toi, Zatime, retiens ma rivale en ces lieux.
[1320] Qu'il n'ait, en expirant, que ses cris pour adieux.
Qu'elle soit cependant fidèlement servie.
Prends soin d'elle : ma haine a besoin de sa vie.
Ah ! si pour son amant facile à s'attendrir,
La peur de son trépas la fit presque mourir,
[1325] Quel surcroît de vengeance et de douceur nouvelle
De le montrer bientôt pâle et mort devant elle,
De voir sur cet objet ses regards arrêtés
Me payer les plaisirs que je leur ai prêtés !
Va, retiens-la. Surtout garde bien le silence.
[1330] Moi... Mais qui vient ici différer ma vengeance ?

---

1. La témoignage d'amour qu'ils préfèrent est de faire mourir la personne qu'ils aiment. — 2. Ayant reçu une impression qu'il est difficile de dissiper. — 3. Voir p. 42, n. 2. — 4. Voir le vers 1267. — 5. Sans fondement sérieux. — 6. « Surprendre l'esprit » (*Dict. de l'Acad.*, 1694).

● **Une suppression** — Dans les éditions de 1672 à 1687, quatre vers figurent après le vers 1300 :

> *Tu n'as pas eu besoin de tout ton artifice,*
> *Et (je veux bien te faire encor cette justice)*
> *Toi-même, je m'assure, as rougi plus d'un jour*
> *Du peu qu'il t'en coûtait pour tromper tant d'amour.*

① Regrettez-vous la disparition de ces vers?

● **Le monologue** — « Le monologue à demi-halluciné est bien chez Racine l'expression dernière de la solitude qui s'égare à sa propre poursuite [...]. Roxane en donne plus d'un exemple, dans des exclamations qui ne font que répondre à sa propre pensée, ou plutôt, que suivre sa fuite intérieure » (André Rousseaux, *le Monde classique*).

② Notez tous les détails (à commencer par les premiers vers) qui répondent à cette opinion; s'agit-il toujours d'une solitude? Notez les sens très différents que peut avoir la seconde personne (en particulier au vers 1314); où vous paraît cesser l'hallucination?

③ Ce monologue, bien qu'en partie halluciné, suit un plan : relevez la construction d'ensemble (suggérée au vers 1296), puis les divers mouvements dans le détail.

● **Les sentiments**

④ Distinguez ceux qui s'expriment dans la partie hallucinée et ceux qui apparaissent lorsque Roxane reprend conscience.
Comparez le vers 1316 au vers 1305 : illustrent-ils, par leur opposition, cette « équivalence de l'amour et de la haine » souvent signalée chez Racine?

● **La cruauté racinienne** — « Tout est adversaire, tout est ennemi aux personnages de Racine; ils sont tous ennemis les uns des autres et ils ne parlent jamais que pour mettre l'adversaire dans son tort et ainsi justifier d'avance ensemble, en dedans, les cruautés qu'ils exerceront sur lui, comme lui-même a déjà justifié les cruautés qu'il exercera sur eux » (Péguy, *Victor-Marie, comte Hugo*).

⑤ Lisez dans cette perspective ce monologue; étudiez également les vers 1253-1262 : notez la lenteur (inconsciente ou volontaire) avec laquelle Zatime annonce ce qui s'est passé.

● **Le tragique et la prévision du passé** — « Lorsqu'un être humain, cruellement frappé, revient par la pensée sur le cours d'un événement funeste, il se trouve en même temps averti et tout à fait impuissant; il refait le chemin, et il aperçoit la catastrophe; il l'aperçoit, mais il sait bien en même temps qu'elle sera, puisqu'elle fut. C'est une chose réglée, parce que c'est une chose passée; mais lui la voit encore dans l'avenir. Cette pensée est insupportable, mais le sentiment l'y ramène toujours; il cherche le désespoir, et le trouve sous la forme la plus accablante toutes les fois qu'il fait ce triste pèlerinage sur les routes du passé [...]. Voilà le tragique à proprement parler » (Alain, *Propos d'un Normand*).

⑥ Étudiez ce texte à partir du monologue de Roxane.

SCÈNE VI. — ROXANE, ACOMAT, OSMIN.

ACOMAT. — Que faites-vous, Madame? En quels retardements
D'un jour si précieux perdez-vous les moments?
Byzance, par mes soins presque entière assemblée,
Interroge ses chefs, de leur crainte troublée;
1335 Et tous, pour s'expliquer, ainsi que mes amis,
Attendent le signal que vous m'aviez promis [1].
D'où vient que, sans répondre à leur impatience,
Le Sérail cependant garde un triste silence?
Déclarez-vous, Madame, et, sans plus différer...

ROXANE. 1340 Oui, vous serez content, je vais me déclarer.

ACOMAT. — Madame, quel regard, et quelle voix sévère,
Malgré votre discours, m'assurent du contraire?
Quoi! déjà votre amour, des obstacles vaincu [2]...

ROXANE. — Bajazet est un traître, et n'a que trop vécu.

ACOMAT. 1345 Lui!

ROXANE. —   Pour moi, pour vous-même, également perfide,
Il nous trompait tous deux.

ACOMAT. —   Comment?

ROXANE. —   Cette Atalide,
Qui même n'était pas un assez digne prix
De tout ce que pour lui vous avez entrepris...

ACOMAT. — Hé bien?

ROXANE. —   Lisez : jugez, après cette insolence,
1350 Si nous devons d'un traître embrasser la défense.
Obéissons plutôt à la juste rigueur
D'Amurat qui s'approche et retourne vainqueur;
Et, livrant sans regret un indigne complice,
Apaisons le Sultan par un prompt sacrifice.

ACOMAT, *lui rendant le billet.*
1355 Oui, puisque jusque-là l'ingrat m'ose outrager,
Moi-même, s'il le faut, je m'offre à vous venger,
Madame. Laissez-moi nous laver l'un et l'autre
Du crime [3] que sa vie a jeté sur la nôtre.
Montrez-moi le chemin; j'y cours.

ROXANE. —   Non, Acomat.

---

1. Voir le vers 848. — 2. *Vaincu* par les *obstacles.* — 3. De l'accusation.

¹³⁶⁰ Laissez-moi le plaisir de confondre l'ingrat.
Je veux voir son désordre ¹ et jouir de sa honte.
Je perdrais ma vengeance en la rendant si prompte.
Je vais tout préparer. Vous, cependant ², allez
Disperser promptement vos amis assemblés.

SCÈNE VII. — ACOMAT, OSMIN.

ACOMAT. ¹³⁶⁵ Demeure : il n'est pas temps, cher Osmin, que je sorte.

OSMIN. — Quoi! jusque-là, Seigneur, votre amour vous transporte?
N'avez-vous pas poussé la vengeance assez loin?
Voulez-vous de sa mort être encor ³ le témoin?

ACOMAT. — Que veux-tu dire? Es-tu toi-même si crédule
¹³⁷⁰ Que de me soupçonner d'un courroux ridicule?
Moi, jaloux? Plût au Ciel qu'en me manquant de foi ⁴,
L'imprudent Bajazet n'eût offensé que moi!

OSMIN. — Et pourquoi donc, Seigneur, au lieu de le défendre?...

ACOMAT. — Et la Sultane est-elle en état de m'entendre?
¹³⁷⁵ Ne voyais-tu pas bien, quand je l'allais trouver,
Que j'allais avec lui me perdre, ou me sauver?
Ah! de tant de conseils ⁵ événement ⁶ sinistre!
Prince aveugle! ou plutôt trop aveugle ministre!
Il te sied bien d'avoir en de si jeunes mains,
¹³⁸⁰ Chargé d'ans et d'honneurs, confié tes desseins,
Et laissé d'un vizir la fortune flottante
Suivre de ces amants la conduite imprudente.

---

1. Trouble. — 2. *Pendant ce* temps. — 3. En plus. — 4. Loyauté. — 5. Décisions. — 6. Issue.

■■■

- **Le confident**

  ① En étudiant les diverses questions posées par Osmin, recherchez d'après cette scène, quelle est l'utilité dramatique du confident.

- **Roxane**

  ② N'y-a-t-il pas chez elle un changement d'attitude (opposez les vers 1354 et 1362 en notant un détail important)? Se méfie-t-elle d'Acomat? Son désir de tout préparer est-il seulement une confirmation de sa cruauté? Recherchez la valeur exacte (éventuellement en imaginant un jeu de scène) du *non* énergique qu'elle oppose (v. 1359) à la demande d'Acomat.

■■■

OSMIN. — Hé! laissez-les entre eux exercer leur courroux.
Bajazet veut périr; Seigneur, songez à vous.
1385 Qui peut de vos desseins révéler le mystère,
Sinon quelques amis engagés à se taire?
Vous verrez par sa mort le Sultan adouci.

ACOMAT. — Roxane en sa fureur peut raisonner ainsi.
Mais moi, qui vois plus loin, qui, par un long usage,
1390 Des maximes du trône[1] ai fait l'apprentissage,
Qui d'emplois en emplois, vieilli sous trois sultans,
Ai vu de mes pareils les malheurs éclatants,
Je sais, sans me flatter, que de sa seule audace
Un homme tel que moi doit attendre sa grâce,
1395 Et qu'une mort sanglante est l'unique traité
Qui reste entre l'esclave et le maître irrité.

OSMIN. — Fuyez donc.

ACOMAT. — J'approuvais tantôt[2] cette pensée.
Mon entreprise alors était moins avancée;
Mais il m'est désormais trop dur de reculer.
1400 Par une belle chute il faut me signaler,
Et laisser un débris[3] du moins après ma fuite,
Qui de mes ennemis retarde la poursuite.
Bajazet vit encor : pourquoi nous étonner[4]?
Acomat de plus loin a su le ramener.
1405 Sauvons-le, malgré lui, de ce péril extrême,
Pour nous, pour nos amis, pour Roxane elle-même.
Tu vois combien son cœur, prêt à le protéger,
A retenu mon bras trop prompt à la venger.
Je connais peu l'amour; mais j'ose te répondre[5]
1410 Qu'il n'est pas condamné, puisqu'on le veut confondre;
Que nous avons du temps. Malgré son désespoir,
Roxane l'aime encore, Osmin, et le va voir.

OSMIN. — Enfin, que vous inspire une si noble audace?
Si Roxane l'ordonne, il faut quitter la place :
1415 Ce palais est tout plein...

ACOMAT. — Oui, d'esclaves obscurs,
Nourris[6] loin de la guerre, à l'ombre de ses murs;
Mais toi dont la valeur, d'Amurat oubliée,
Par de communs chagrins à mon sort s'est liée,

---

1. Les principes du pouvoir absolu. — 2. Tout à l'heure. — 3. Une destruction. — 4. Voir p. 31, n. 4. — 5. Garantir. — 6. Élevés.

Voudras-tu jusqu'au bout seconder mes fureurs[1]?

OSMIN. ⎯1420 Seigneur, vous m'offensez. Si vous mourez, je meurs.

ACOMAT. — D'amis et de soldats une troupe hardie
Aux portes du Palais attend notre sortie.
La Sultane d'ailleurs[2] se fie à mes discours.
Nourri dans le Sérail, j'en connais les détours[3];
1425 Je sais de Bajazet l'ordinaire demeure;
Ne tardons plus, marchons; et, s'il faut que je meure,
Mourons; moi, cher Osmin, comme un vizir; et toi,
Comme le favori d'un homme tel que moi.

---

1. Ma passion. — 2. Par ailleurs. — 3. Voies sinueuses : le Sérail est un labyrinthe.

- **Acomat** — « Acomat me paraît l'effort de l'esprit humain. Je ne vois rien dans l'antiquité, ni chez les modernes, qui soit de ce caractère; et la beauté de la diction le relève encore : pas un seul vers dur ou faible; pas un mot qui ne soit le mot propre » (Voltaire, Dédicace de *Zatime*). « On saisit en cette scène l'homme d'action en pleine marche; aussi longtemps que son espoir le flattait, il était aveuglé sur un point : l'homme d'action a besoin de croire au succès et tous les hommes croient volontiers ce qu'ils désirent. Sitôt que la cause d'erreur a été dissipée, Acomat a retrouvé sa clairvoyance. » (Dubech, *Racine politique*).

  ① A la lumière de ces textes, étudiez, à partir du vers 1397, les divers motifs d'action d'Acomat.

- **Le quatrième acte** — « Le dénouement [...] occupe donc deux actes : le cinquième et dernier, où se consomme sa brutale exécution (c'est le lieu du *sang et des morts* dont Racine nous parle avec quelque dédain); le quatrième où s'élabore sa germination spirituelle. Celui-ci est bien réellement le nœud de l'ouvrage, le vrai noyau de la cristallisation dramatique » (Le Bidois, *l'Action dans la tragédie de Racine*).
  « A l'acte suivant [le quatrième], la péripétie classique retarde, quelques scènes encore, la conclusion à laquelle on croyait toucher et qui ne se dérobe que pour reparaître plus brutalement. Tout le quatrième acte [...] de *Bajazet* [est occupé] par les efforts de Roxane pour donner une dernière chance à l'homme qu'elle a condamné » (Moreau, *Racine*).

  ② Étudiez ces deux jugements.

- **Le « tempo »**
  ③ Cette scène donne un excellent exemple de la variété et de la succession des mouvements dans la tragédie : notez les divers moments, la frénésie de Roxane, la hâte d'Acomat, la décision retardatrice de Roxane, le retour au calme d'Acomat, puis sa hâte à nouveau (comparez les vers 1365 et 1426).

- **Une pièce turque**
  ④ L'attitude d'Acomat est-elle seulement celle d'un homme « tel que lui »? Recherchez les détails qui montrent que ce n'est pas un général français qui parle, mais un vizir muni d'un passé, lourd d'expérience.

ACTE V

Scène première. — ATALIDE, *seule.*

ATALIDE. — Hélas! je cherche en vain : rien ne s'offre à ma vue.
1430 Malheureuse! comment puis-je l'avoir perdue?
Ciel! aurais-tu permis que mon funeste amour
Exposât mon amant tant de fois en un jour?
Que, pour dernier malheur, cette lettre fatale
Fût encor parvenue aux yeux de ma rivale?
1435 J'étais en ce lieu même; et ma timide main,
Quand Roxane a paru, l'a cachée en mon sein.
Sa présence a surpris mon âme désolée;
Ses menaces, sa voix, un ordre m'a troublée :
J'ai senti défaillir ma force et mes esprits.
1440 Ses femmes m'entouraient quand je les ai repris;
A mes yeux étonnés[1] leur troupe est disparue.
Ah! trop cruelles mains qui m'avez secourue,
Vous m'avez vendu cher vos secours inhumains,
Et par vous cette lettre a passé dans ses mains.
1445 Quels desseins maintenant occupent sa pensée?
Sur qui sera d'abord sa vengeance exercée?
Quel sang pourra suffire à son ressentiment?
Ah! Bajazet est mort, ou meurt en ce moment.
Cependant on m'arrête, on me tient enfermée.
1450 On ouvre. De son sort je vais être informée.

Scène II. — ROXANE, ATALIDE, ZATIME.

ROXANE. — Retirez-vous.

ATALIDE. —   Madame... Excusez l'embarras...

ROXANE. — Retirez-vous, vous dis-je, et ne répliquez pas.
Gardes, qu'on la retienne.

Scène III. — ROXANE, ZATIME.

ROXANE. —   Oui, tout est prêt, Zatime :
Orcan et les muets attendent leur victime.
1455 Je suis pourtant toujours maîtresse de son sort :
Je puis le retenir. Mais s'il sort, il est mort.
Vient-il?

ZATIME. —   Oui, sur mes pas un esclave l'amène;
Et loin de soupçonner sa disgrâce[2] prochaine,

---

1. Voir p. 31, n. 4. — 2. Voir p. 33, n. 2.

Il m'a paru, Madame, avec empressement
1460 Sortir, pour vous chercher, de son appartement.

ROXANE. — Ame lâche, et trop digne enfin d'être déçue [1],
Peux-tu souffrir encor qu'il paraisse à ta vue?
Crois-tu par tes discours le vaincre ou l'étonner [2]?
Quand même il se rendrait [3], peux-tu lui pardonner?
1465 Quoi! ne devrais-tu pas être déjà vengée?
Ne crois-tu pas encore être assez outragée?
Sans perdre tant d'efforts sur ce cœur endurci,
Que ne le laissons-nous périr?... Mais le voici.

SCÈNE IV. — BAJAZET, ROXANE.

ROXANE. — Je ne vous ferai point des reproches frivoles :
1470 Les moments sont trop chers [4] pour les perdre en paroles.
Mes soins vous sont connus : en un mot, vous vivez,
Et je ne vous dirais que ce que vous savez.
Malgré tout mon amour, si je n'ai pu vous plaire,
Je n'en murmure point [5]; quoiqu'à ne vous rien taire,
1475 Ce même amour peut-être, et ces mêmes bienfaits
Auraient dû suppléer à mes faibles attraits.
Mais je m'étonne enfin que pour reconnaissance,
Pour prix de tant d'amour, de tant de confiance,
Vous ayez si longtemps, par des détours [6] si bas,
1480 Feint un amour pour moi que vous ne sentiez pas.

---

1. Trompée. — 2. Voir p. 31, n. 4. — 3. Céderait. — 4. Précieux. — 5. Je ne m'en plains pas. — 6. Mensonges.

■■■

● **Les unités**

① Recherchez deux vers d'Atalide qui soulignent la difficulté de justifier la courte durée de l'action. Est-il explicable qu'Atalide soit retenue prisonnière dans le lieu qui a servi de cadre à toute l'action?

● **Roxane**

② Le ton du début de la scène 2 semble indiquer qu'elle est décidée; analysez le changement apporté au début de la scène 3; notez une indication essentielle au vers 1456 (voyez le vers 1564). Quelle valeur psychologique attribuez-vous aux interrogations des vers 1461-1468? Roxane garde-t-elle quelque espoir? Rapprochez les vers 1468 et 1471, le début du vers 1474 et le mouvement qui suit : est-ce la seule expression d'un ressentiment, ou une dernière tentative de séduction? Examinez dans cette perspective les vers 1473, 1475, 1476, 1478. En tenant compte d'un trait de caractère important chez Bajazet, estimez-vous que Roxane a ici recours à un argument susceptible de porter? Notez le changement de rythme qui débute au vers 1474 : est-il significatif?

■■■

BAJAZET. — Qui? moi, Madame?

ROXANE. —   Oui, toi. Voudrais-tu point encore [1]
Me nier un mépris que tu crois que j'ignore?
Ne prétendrais-tu point, par tes fausses couleurs [2],
Déguiser [3] un amour qui te retient ailleurs,
1485 Et me jurer enfin, d'une bouche perfide,
Tout ce que tu ne sens que pour ton Atalide?

BAJAZET. — Atalide? Madame! O Ciel! qui vous a dit...

ROXANE. — Tiens, perfide, regarde, et démens cet écrit.

BAJAZET. — Je ne vous dis plus rien. Cette lettre sincère
1490 D'un malheureux amour contient tout le mystère;
Vous savez un secret que, tout prêt à s'ouvrir,
Mon cœur a mille fois voulu vous découvrir.
J'aime, je le confesse; et devant que votre âme,
Prévenant mon espoir [4] m'eût déclaré sa flamme,
1495 Déjà plein d'un amour dès l'enfance formé,
A tout autre désir mon cœur était fermé.
Vous me vîntes offrir et la vie et l'Empire;
Et même votre amour, si j'ose vous le dire,
Consultant vos bienfaits, les crut, et sur leur foi [5],
1500 De tous mes sentiments vous répondit pour moi.
Je connus [6] votre erreur. Mais que pouvais-je faire?
Je vis en même temps qu'elle vous était chère.
Combien le trône tente un cœur ambitieux!
Un si noble présent me fit ouvrir les yeux.
1505 Je chéris, j'acceptai, sans tarder davantage,
L'heureuse occasion de sortir d'esclavage,
D'autant plus qu'il fallait l'accepter ou périr;
D'autant plus que vous-même, ardente à me l'offrir,
Vous ne craigniez rien tant que d'être refusée,
1510 Que même mes refus vous auraient exposée,
Qu'après avoir osé me voir et me parler,
Il était dangereux pour vous de reculer.
Cependant, je n'en veux pour témoins que vos plaintes :
Ai-je pu vous tromper par des promesses feintes?
1515 Songez combien de fois vous m'avez reproché
Un silence témoin de mon trouble caché :

---

1. En plus. — 2. « Raison apparente, dont on se sert pour couvrir et pallier quelque mensonge » (*Dict. de l'Acad.*, 1694). — 3. Cacher. — 4. Devançant *mon espoir* de voir Atalide m'aimer. — 5. Se fiant aux bienfaits qu'elle a rendus à Bajazet, Roxane y a trouvé la certitude que Bajazet devait l'aimer. — 6. Je me rendis compte de.

> Plus l'effet de vos soins et ma gloire étaient proches,
> Plus mon cœur interdit[1] se faisait de reproches.
> Le Ciel, qui m'entendait, sait bien qu'en même temps
> 1520 Je ne m'arrêtais pas à des vœux impuissants;
> Et si l'effet[2] enfin, suivant mon espérance,
> Eût ouvert un champ libre à ma reconnaissance,
> J'aurais, par tant d'honneurs, par tant de dignités,
> Contenté votre orgueil et payé vos bontés,
> 1525 Que vous-même peut-être...

---

1. Troublé. — 2. La réalisation, l'exécution.

▪▪

● **La vérité humaine de « Bajazet »**

« *Bajazet* fixe l'image d'un des rares moments où notre vie se dévoile, le moment des ruptures et des aveux. D'un côté, une femme qui aimait et qui vient de découvrir la trahison. De l'autre, l'homme qui n'aimait pas, ou qui n'aime plus, et qui, convaincu de son infidélité, se décide à plaider. Les excuses qu'il donne sont vraies. A celle qu'il trompait, il rappelle ses illusions volontaires, et l'enchaînement des mensonges, et les aveux interrompus. Inutile plaidoyer, puisque cela seul qui compte, c'est l'amour offert et dédaigné, c'est tant de confiance trompée, c'est une grande espérance de bonheur déçue » (Antoine Adam, *Histoire de la littérature française au XVIIe siècle*).

① A la lumière de ce texte, appréciez « l'humanité » de Racine.

● **Bajazet**

② Notez d'abord, en parcourant son discours, que sa justification est empruntée tout autant (sinon davantage) à la psychologie de Roxane qu'à son propre caractère et à sa situation.
Faites le plan détaillé de son intervention.
Si le trône l'a tellement tenté, n'eût-il pas dû feindre jusqu'au bout? N'est-ce pas là que se découvre l'ambiguïté, si reprochée à Racine (voir p. 119-121), du caractère de Bajazet?
L'excuse empruntée aux risques courus par Roxane est-elle seulement une justification du passé? Quel jugement portez-vous sur les derniers vers? Amènent-ils naturellement une intervention brutale de Roxane?

③ En reprenant l'ensemble du discours de Bajazet, tentez d'imaginer quelles peuvent être les réactions intimes de Roxane devant chacun des arguments, quels sont les mots qui la torturent, ceux qui peuvent la faire espérer, les excuses qu'elle peut accepter, celles qui ne la touchent pas; en un mot, les maladresses, ou l'adresse, de Bajazet.

④ Pouvez-vous imaginer quelles étaient les conversations, antérieures à l'action, entre Roxane et Bajazet? N'y-a-t-il pas là une donnée de la tragédie difficilement acceptable?

● **Le tutoiement**

⑤ Notez d'autant plus son apparition, qu'il ne persistera pas jusqu'à la fin de la scène. Quel sentiment marque-t-il? Colère? Amour? Ou les deux à la fois?

▪▪

ROXANE. —   Et que pourrais-tu faire ?
　　　　　Sans l'offre de ton cœur, par où peux-tu me plaire ?
　　　　　Quels seraient de tes vœux les inutiles fruits ?
　　　　　Ne te souvient-il plus de tout ce que je suis ?
　　　　　Maîtresse du Sérail, arbitre[1] de ta vie
1530　　　Et même de l'État, qu'Amurat me confie,
　　　　　Sultane, et, ce qu'en vain j'ai cru trouver en toi,
　　　　　Souveraine d'un cœur qui n'eût aimé que moi ;
　　　　　Dans ce comble de gloire où je suis arrivée,
　　　　　A quel indigne honneur m'avais-tu réservée ?
1535　　　Traînerais-je[2] en ces lieux un sort infortuné,
　　　　　Vil rebut d'un ingrat que j'aurais couronné,
　　　　　De mon rang descendue, à mille autres égale,
　　　　　Ou la première esclave enfin de ma rivale ?
　　　　　　　Laissons ces vains discours ; et, sans m'importuner,
1540　　　Pour la dernière fois, veux-tu vivre et régner ?
　　　　　J'ai l'ordre d'Amurat, et je puis t'y soustraire.
　　　　　Mais tu n'as qu'un moment : parle.

BAJAZET. —   Que faut-il faire ?

ROXANE. — Ma rivale est ici : suis-moi sans différer ;
　　　　　Dans les mains des muets viens la voir expirer,
1545　　　Et libre d'un amour à ta gloire funeste,
　　　　　Viens m'engager ta foi[3] : le temps fera le reste.
　　　　　Ta grâce est à ce prix, si tu veux l'obtenir.

BAJAZET. — Je ne l'accepterais que pour vous en punir,
　　　　　Que pour faire éclater, aux yeux de tout l'Empire,
1550　　　L'horreur et le mépris que cette offre m'inspire.
　　　　　　Mais à quelle fureur me laissant emporter,
　　　　　Contre ses tristes jours vais-je vous irriter !
　　　　　De mes emportements[4] elle n'est point complice,
　　　　　Ni de mon amour même et de mon injustice.
1555　　　Loin de me retenir par des conseils jaloux,
　　　　　Elle me conjurait de me donner à vous.
　　　　　En un mot, séparez ses vertus de mon crime.
　　　　　Poursuivez, s'il le faut, un courroux légitime ;
　　　　　Aux ordres d'Amurat hâtez-vous d'obéir ;
1560　　　Mais laissez-moi, du moins, mourir sans vous haïr.
　　　　　Amurat avec moi ne l'a point condamnée :
　　　　　Épargnez une vie assez infortunée.

---

1. Voir p. 36, n. 4. — 2. Voir p. 35, n. 2. — 3. Promesse. — 4. Voir p. 68, n. 7.

> Ajoutez cette grâce à tant d'autres bontés,
> Madame; et si jamais je vous fus cher...

ROXANE. —   Sortez.

━━

- **Fort comme la mort** — «C'est quand ils sont fortement engagés dans les chemins de la mort, d'une mort inéluctable, que les personnages de Racine obtiennent la plénitude de leurs forces, en peu de temps épuisés à brûler ou à transir à un rythme accéléré » (Jacques Vier, *Histoire de la littérature française*).
  ① Commentez l'attitude de Bajazet à la lumière de ce texte.

- **La gloire**
  ② A propos des vers 1529-1538, méditez sur le texte suivant (où l'auteur oppose la gloire des personnages de Corneille et de Racine) : « Dans l'amour même, les personnages de Racine ne sont pas toujours exempts d'orgueil [...] mais la nouveauté réside en ce que cet orgueil n'est plus exaltant. C'est une blessure du moi à laquelle on pense toujours sans pouvoir la fermer; les pensées d'orgueil sont là pour entretenir, au moyen d'une honte cruelle et qui ne peut plus s'oublier que dans la violence, le sentiment de la déchéance. L'orgueil n'est plus l'aiguillon de l'honneur, mais la mesure du déshonneur. Semblable aux autres passions, violent et misérable comme elles, il est rentré dans la nature » (Bénichou, *Morales du grand siècle*).

- **Les variantes**
  V. 1544 (1672) : *De ton cœur par sa mort viens me voir assurer.*
  ③ Quelle est la valeur du texte définitif par rapport au premier?
  Après le vers 1555 (éd. de 1672 à 1687) :
  > *Si mon cœur l'avait crue, il ne serait qu'à vous.*
  > *Confessant vos bienfaits, reconnaissant vos charmes,*
  > *Elle a pour me fléchir employé jusqu'aux larmes.*
  > *Toute prête vingt fois à se sacrifier*
  > *Par sa mort elle-même a voulu nous lier.*

  ④ Quelles peuvent être les raisons de la suppression de ces vers?

- **Bajazet**
  ⑤ Est-il habile de sa part de parler d'Atalide? Sur quel ton prononce-riez-vous le vers 1542?

- **« Sortez »** (v. 1564)
  ⑥ C'est le type du mot « en situation »; appréciez le passage à la seconde personne du pluriel.

- **Le style**
  ⑦ « Ces appositions indéfinies qui lui donnent le moyen d'éviter la marche verticale, anguleuse, sportive, du discours [...] volatilisation par où il brise, sans la moindre violence apparente, les cadres carrés, non seulement de la période, mais encore de la phrase grammaticale [...] apposition de membres de phrase, de substantifs » (Bremond, *Racine et Valéry*). Relevez les passages illustrant cette opinion.

━━

Scène V. — ROXANE, ZATIME.

ROXANE. —¹⁵⁶⁵ Pour la dernière fois, perfide, tu m'as vue.
Et tu vas rencontrer la peine qui t'est due.

ZATIME. — Atalide à vos pieds demande à se jeter
Et vous prie un moment de vouloir l'écouter,
Madame : elle vous veut faire l'aveu fidèle[1]
¹⁵⁷⁰ D'un secret important qui vous touche plus qu'elle.

ROXANE. — Oui, qu'elle vienne. Et toi, suis Bajazet qui sort,
Et, quand il sera temps, viens m'apprendre son sort.

Scène VI. — ROXANE, ATALIDE.

ATALIDE. — Je ne viens plus, Madame, à feindre disposée,
Tromper votre bonté si longtemps abusée :
¹⁵⁷⁵ Confuse, et digne objet de vos inimitiés,
Je viens mettre mon cœur et mon crime à vos pieds.
Oui, Madame, il est vrai que je vous ai trompée :
Du soin[2] de mon amour seulement occupée,
Quand j'ai vu Bajazet, loin de vous obéir,
¹⁵⁸⁰ Je n'ai, dans mes discours, songé qu'à vous trahir.
Je l'aimai dès l'enfance; et dès ce temps, Madame,
J'avais, par mille soins, su prévenir[3] son âme.
La Sultane sa mère, ignorant l'avenir,
Hélas! pour son malheur se plut à nous unir.
¹⁵⁸⁵ Vous l'aimâtes depuis : plus heureux l'un et l'autre
Si, connaissant mon cœur, ou me cachant le vôtre,
Votre amour de la mienne eût su se défier!
Je ne me noircis point pour le justifier.
Je jure par le Ciel qui me voit confondue,
¹⁵⁹⁰ Par ces grands Ottomans dont je suis descendue,
Et qui tous avec moi vous parlent à genoux
Pour le plus pur du sang qu'ils ont transmis en nous :
Bajazet à vos soins tôt ou tard plus sensible,
Madame, à tant d'attraits n'était pas invincible.
¹⁵⁹⁵ Jalouse, et toujours prête à lui représenter[4]
Tout ce que je croyais digne de l'arrêter,
Je n'ai rien négligé, plaintes, larmes, colère,
Quelquefois attestant les mânes de sa mère[5].

---

1. « Conforme à la vérité » (*Dict. de l'Acad.*, 1694). — 2. Souci. — 3. Inspirer des préventions à quelqu'un, dans un sens favorable ou non. — 4. Mettre sous les yeux. — 5. L'ombre *de sa mère* morte.

Ce jour même, des jours le plus infortuné,
1600 Lui reprochant l'espoir qu'il vous avait donné,
Et de ma mort enfin le prenant à partie[1],
Mon importune ardeur ne s'est point ralentie,
Qu'arrachant, malgré lui, des gages de sa foi[2],
Je ne sois parvenue à le perdre avec moi.
1605 Mais pourquoi vos bontés seraient-elles lassées?
Ne vous arrêtez point à ses froideurs passées :
C'est moi qui l'y forçai. Les nœuds que j'ai rompus
Se rejoindront bientôt, quand je ne serai plus.
Quelque peine pourtant qui soit due à mon crime,
1610 N'ordonnez pas vous-même une mort légitime,
Et ne vous montrez point à son cœur éperdu
Couverte de mon sang par vos mains répandu :
D'un cœur trop tendre encore épargnez la faiblesse.
Vous pouvez de mon sort me laisser la maîtresse,
1615 Madame; mon trépas n'en sera pas moins prompt.
Jouissez d'un bonheur dont ma mort vous répond;
Couronnez un héros dont vous serez chérie :
J'aurai soin de ma mort, prenez soin de sa vie.
Allez, Madame, allez : avant votre retour,
1620 J'aurai d'une rivale affranchi[3] votre amour.

---

1. Prendre à partie quelqu'un : l'attaquer en justice. — 2. De sa promesse à mon égard. — 3. Débarrassé.

● **La scène et les coulisses**

① Dans le cours de ce cinquième acte, relevez les actions qui se déroulent simultanément sur la scène et en dehors de la scène : en particulier, que fait Atalide pendant l'entrevue entre Bajazet et Roxane? cette scène est-elle assez longue pour rendre vraisemblable son intervention? Que se passe-t-il pendant que se déroule la scène 6? Y pensons-nous? Appréciez la valeur de cette sorte de surimpression.

● **L'appel d'Atalide**

② Notez qu'Atalide ne sait rien (elle ignore même que Bajazet a paru); appréciez l'habileté (ou la maladresse) de son intervention. Relevez l'ensemble de ses arguments; comparez son intervention à celle de Bajazet (vers 1489-1525 et 1551-1562); notez les ressemblances dans les arguments, dans les expressions, les différences (tiennent-elles à la nature des deux personnages?). Si vous deviez porter un jugement, quelle est, des deux attitudes, celle qui vous semble la plus noble? quel est, des deux plaidoyers, celui qui aurait le plus de chance de porter? ou pensez-vous que c'est la ressemblance même entre les deux plaidoyers qui enlève en tout cas au second toute valeur?

ROXANE. — Je ne mérite pas un si grand sacrifice :
Je me connais, Madame, et je me fais justice.
Loin de vous séparer, je prétends aujourd'hui
Par des nœuds éternels vous unir avec lui :
1625 Vous jouirez bientôt de son aimable vue.
Levez-vous. Mais que veut Zatime toute émue?

SCÈNE VII. — ROXANE, ATALIDE, ZATIME.

ZATIME. — Ah! venez vous montrer, Madame, ou désormais
Le rebelle Acomat est maître du Palais :
Profanant des sultans la demeure sacrée,
1630 Ses criminels amis en ont forcé l'entrée.
Vos esclaves tremblants, dont la moitié s'enfuit,
Doutent [1] si le Vizir vous sert ou vous trahit.

ROXANE. — Ah! les traîtres! Allons, et courons le confondre [2].
Toi, garde ma captive, et songe à m'en répondre.

SCÈNE VIII. — ATALIDE, ZATIME.

ATALIDE. -1635 Hélas! pour qui mon cœur doit-il faire des vœux?
J'ignore quel dessein les anime tous deux.
Si de tant de malheurs quelque pitié te touche,
Je ne demande point, Zatime, que ta bouche
Trahisse en ma faveur Roxane et son secret;
1640 Mais, de grâce, dis-moi ce que fait Bajazet.
L'as-tu vu? Pour ses jours n'ai-je encor rien à craindre?

ZATIME. — Madame, en vos malheurs je ne puis que vous plaindre.

ATALIDE. — Quoi? Roxane déjà l'a-t-elle condamné?

ZATIME. — Madame, le secret m'est sur tout ordonné.

ATALIDE. -1645 Malheureuse, dis-moi seulement s'il respire.

ZATIME. — Il y va de ma vie, et je ne puis rien dire.

ATALIDE. — Ah! c'en est trop, cruelle. Achève, et que ta main
Lui donne de ton zèle un gage plus certain;
Perce toi-même un cœur que ton silence accable,
1650 D'une esclave barbare esclave impitoyable.
Précipite [3] des jours qu'elle me veut ravir;
Montre-toi, s'il se peut, digne de la servir.
Tu me retiens en vain, et, dès cette même heure,
Il faut que je le voie, ou du moins que je meure.

---

1. Ne savent pas. — 2. Voir p. 58, n. 2. — 3. Abrège.

SCÈNE IX. — ATALIDE, ACOMAT, ZATIME.

ACOMAT. 1655 Ah! que fait Bajazet? Où le puis-je trouver,
Madame? Aurai-je encor le temps de le sauver?
Je cours tout le Sérail; et même, dès l'entrée,
De mes braves amis la moitié séparée
A marché sur les pas du courageux Osmin;
1660 Le reste m'a suivi par un autre chemin.
Je cours, et je ne vois que des troupes craintives
D'esclaves effrayés, de femmes fugitives.

ATALIDE. — Ah! je suis de son sort moins instruite que vous.
Cette esclave le sait.

ACOMAT. —   Crains mon juste courroux,
1665 Malheureuse, réponds.

▪▪▪

● **L'action**
① Le dénouement est plus chargé d'événements, d'annonces incomplètes, de mouvements de personnages que dans aucune autre tragédie de Racine; calculez le nombre de vers qui s'écoulent entre le départ de Roxane, l'arrivée d'Acomat, l'arrivée de Zaïre et celle d'Osmin; cette précipitation est-elle vraisemblable? Se heurte-t-elle à des problèmes de mise en scène? Comment tous ces personnages arrivent-ils à ne pas se croiser dans leurs entrées et leurs sorties? Tenez compte du décor dans lequel se déroule l'action.

● **Roxane**
② C'est sa dernière apparition. Ses dernières paroles sont-elles conformes à son caractère? Notez le jeu de mots du vers 1624. Dans sa hâte de sortir pour assurer son propre salut, quelle est sa dernière recommandation? Le châtiment qu'elle recevra (v. 1668) est-il ainsi justifié?

● **Le silence de Zatime**
③ Nécessité scénique? Attitude d'esclave turque? Suspens dramatique? Dernière cruauté? Notez avec quel art (sans doute imité des Grecs) Racine parvient à maintenir ce silence. Peut-on imaginer que Bajazet n'est pas mort (en dépit du *Sortez* de Roxane)? Atalide peut-elle le penser?

● **Le spectacle**
④ Imaginez la mise en scène de tout ce passage, la place et l'attitude des acteurs, leurs gestes, et même leurs costumes (vers 1647-1649).

● **Les deux tragédies**
⑤ La rébellion d'un général disgrâcié, la vengeance d'une femme trompée se rejoignent dans ce passage. L'unité d'action en est-elle pour autant sacrifiée?

▪▪▪

Scène X. — ATALIDE, ACOMAT, ZATIME, ZAÏRE.

ZAÏRE. —   Madame !

ATALIDE. —   Hé bien, Zaïre,
Qu'est-ce ?

ZAÏRE. —   Ne craignez plus : votre ennemie expire.

ATALIDE. — Roxane ?

ZAÏRE. —   Et ce qui va bien plus vous étonner [1],
Orcan lui-même, Orcan vient de l'assassiner.

ATALIDE. — Quoi ! lui ?

ZAÏRE. —   Désespéré d'avoir manqué son crime,
1670 Sans doute [2] il a voulu prendre cette victime.

ATALIDE. — Juste Ciel ! l'innocence a trouvé ton appui !
Bajazet vit encor ; Vizir, courez à lui.

ZAÏRE. — Par la bouche d'Osmin vous serez mieux instruite.
Il a tout vu.

Scène XI. — ATALIDE, ACOMAT, OSMIN, ZAÏRE.

ACOMAT. —   Ses yeux ne l'ont-ils point séduite [3] ?
1675 Roxane est-elle morte ?

OSMIN. —   Oui, j'ai vu l'assassin
Retirer son poignard tout fumant de son sein.
Orcan, qui méditait ce cruel stratagème,
La servait à dessein de la perdre elle-même ;
Et le Sultan l'avait chargé secrètement
1680 De lui sacrifier l'amante après l'amant.
Lui-même, d'aussi loin qu'il nous a vus paraître :
« Adorez, a-t-il dit, l'ordre de votre maître ;
» De son auguste seing reconnaissez les traits,
» Perfides, et sortez de ce sacré palais. »
1685 A ce discours, laissant la Sultane expirante,
Il a marché vers nous, et, d'une main sanglante,
Il nous a déployé l'ordre dont [4] Amurat
Autorise ce monstre à ce double attentat [5].
Mais, Seigneur, sans vouloir l'écouter davantage,
1690 Transportés [6] à la fois de douleur et de rage,

---

1. Voir p. 31, n. 4. — 2. *Sans aucun doute.* — 3. Trompée. — 4. Par lequel. — 5. Entreprise criminelle en général (n'a pas seulement le sens restreint actuel). — 6. Noter la hardiesse du tour.

> Nos bras impatients ont puni son forfait,
> Et vengé dans son sang la mort de Bajazet.

ATALIDE. — Bajazet !

ACOMAT. —   Que dis-tu ?

OSMIN. —   Bajazet est sans vie.
> L'ignoriez-vous ?

ATALIDE. —   O Ciel !

OSMIN. —   Son amante en furie,
> 1695 Près de ces lieux, Seigneur, craignant votre secours,
> Avait au nœud fatal abandonné ses jours.
> Moi-même des objets j'ai vu le plus funeste,
> Et de sa vie enfin ai cherché quelque reste :
> Bajazet était mort. Nous l'avons rencontré
> 1700 De morts et de mourants noblement entouré,
> Que, vengeant sa défaite et cédant sous le nombre,
> Ce héros a forcés d'accompagner son ombre.
> Mais puisque c'en est fait, Seigneur, songeons à nous.

━━━

- **Deux variantes importantes**

  Vers 1682-1684 (éd. 1672) :
  > *Connaissez, a-t-il dit, l'ordre de votre maître,*
  > *Perfides ; et voyant le sang que j'ai versé,*
  > *Voyez ce que m'enjoint son amour offensé.*

  Vers 1694 et 1696 (éd. 1672) :
  > *Ne le saviez-vous pas ?. — O Ciel ! — Cette furie* [...]
  > *Avait à ce perfide abandonné ses jours.*

  ① Appréciez, en fonction des critiques faites à Racine par les cornéliens (voir p. 19), la valeur de ces variantes ; notez également qu'elles font disparaître un mot dont le retour dans la tragédie est peut-être trop sensible.

- **L'action**

  ② Zaïre n'avait pas paru depuis sa sortie à la scène 2 de l'acte IV : si elle a vu Roxane morte, elle ignore la mort de Bajazet ; Acomat l'ignore aussi ; cela vous paraît-il vraisemblable ?

  ③ « A la fin de *Bajazet*, nous sommes déjà avertis du sort de ce malheureux prince, mais Atalide n'en sait rien [...]. On ne sait ce qu'il faut admirer davantage, de l'art d'Osmin à retenir le funeste secret, ou du naturel avec lequel, à la fin, celui-ci tombe de ses lèvres. L'effet de ce coup vraiment dramatique est accru par la structure du dialogue ; chacun des personnages qu'a surpris une si terrible révélation trouve à peine la force de faire entendre une parole ; le doute semble se décomposer ici en deux moments dont chacun révèle, par l'attitude, l'expression et l'accent, une nuance particulière de douleur ou de fureur » (Le Bidois, *l'Action dans la tragédie de Racine*).

━━━

ACOMAT. — Ah! destins ennemis, où[1] me réduisez-vous?
1705   Je sais en Bajazet la perte que vous faites,
       Madame; je sais trop qu'en l'état où vous êtes
       Il ne m'appartient point de vous offrir l'appui
       De quelques malheureux qui n'espéraient qu'en lui :
       Saisi, désespéré d'une mort qui m'accable,
1710   Je vais, non point sauver cette[2] tête coupable,
       Mais, redevable aux soins de mes tristes[3] amis,
       Défendre jusqu'au bout leurs jours qu'ils m'ont commis[4].
       Pour vous, si vous voulez qu'en quelque autre contrée
       Nous allions confier votre tête sacrée,
1715   Madame, consultez[5] : maîtres de ce palais,
       Mes fidèles amis attendront vos souhaits;
       Et moi, pour ne point perdre un temps si salutaire,
       Je cours où ma présence est encor nécessaire;
       Et jusqu'au pied des murs que la mer vient laver,
1720   Sur mes vaisseaux tout prêts je viens vous retrouver.

SCÈNE XII. — ATALIDE, ZAÏRE.

ATALIDE. — Enfin, c'en est donc fait; et par mes artifices,
       Mes injustes soupçons, mes funestes caprices,
       Je suis donc arrivée au douloureux moment
       Où je vois par mon crime expirer mon amant.
1725   N'était-ce pas assez, cruelle destinée,
       Qu'à lui survivre, hélas! je fusse condamnée?
       Et fallait-il encor que, pour comble d'horreurs,
       Je ne pusse imputer sa mort qu'à mes fureurs[6]?
       Oui, c'est moi, cher amant, qui t'arrache la vie :
1730   Roxane ou le Sultan ne te l'ont point ravie.
       Moi seule, j'ai tissu le lien malheureux
       Dont tu viens d'éprouver les détestables[7] nœuds.
       Et je puis, sans mourir, en souffrir la pensée?
       Moi, qui n'ai pu tantôt[8], de ta mort menacée,
1735   Retenir mes esprits prompts à m'abandonner!
       Ah! n'ai-je eu de l'amour que pour t'assassiner?
       Mais c'en est trop : il faut, par un prompt sacrifice,
       Que ma fidèle main te venge et me punisse.
       Vous, de qui j'ai troublé la gloire et le repos,
1740   Héros qui deviez tous revivre en ce héros,

1. A quoi? — 2. Ma. — 3. Malheureux. — 4. Confiés. — 5. Réfléchissez. — 6. Mes folles passions. — 7. Maudits; du lat. *detestari :* repousser avec serment. — 8. Récemment.

> Toi, mère malheureuse, et qui, dès notre enfance,
> Me confias son cœur dans une autre espérance,
> Infortuné Vizir, amis désespérés,
> Roxane, venez tous, contre moi conjurés,
> 1745 Tourmenter à la fois une amante éperdue[1],
>
> *(elle se tue)*
>
> Et prenez la vengeance enfin qui vous est due.

ZAÏRE. — Ah! Madame!... Elle expire. O Ciel! en ce malheur,
Que ne puis-je avec elle expirer de douleur!

---

1. Folle d'amour.

- **Acomat** — « Quand tout paraît perdu, cette tête politique ne s'affole pas; il ne songe pas un instant à abandonner ses partisans [...] il calcule encore, il mesure d'un coup d'œil ce qui peut être sauvé [...]. Trait qui couronne cette figure de politique (v. 1718) : l'homme qui prononce en un tel instant une telle parole est de la race des êtres nés pour commander » (Dubech, *Racine politique*).

  ① Jugez Acomat d'abord par rapport aux derniers mots d'Osmin : semble-t-il en tenir compte? Acomat n'est-il pas un Osmin à qui les années et l'expérience ont appris, entre autres choses, le respect de certaines formes? Notez sa première réaction; puis la seconde (appréciez la manière dont il fait allusion aux liens qui unissaient Atalide et Bajazet); recherchez le sens exact des vers 1706-1708 : ne sont-ils pas une manière élégante de faire retraite?

- **Atalide** — Son dernier discours n'est pas seulement une lamentation désespérée.

  ② A l'entendre, la tragédie est-elle menée totalement par la *cruelle destinée* (v. 1725)? Estimez-vous qu'elle a raison de revendiquer pour elle seule la totale responsabilité?

  ③ « Si vous les aimez, elles vous perdront, elles se perdront elles-mêmes; si vous croisez leurs vues ambitieuses, elles ont au fond du cœur ce que le poète a mis dans la bouche de Roxane :
  Malgré tout mon amour... [v. 1473] ». (Diderot, *Sur les femmes*).
  Si la seconde partie de ce texte vise expressément Roxane, ne pensez-vous pas qu'on pourrait appliquer la première à Atalide?

- **La tuerie finale** — « On n'entre point dans les raisons de cette grande tuerie » (Mme de Sévigné).
  « Tout explique [...] quoi qu'en ait dit Madame de Sévigné, la tuerie finale, et les victimes elles-mêmes qui ne pouvaient plus vivre ou se survivre, et l'histoire, et le climat, et les mœurs d'une race impitoyable. Le fléau s'étant abattu sur sa terre d'élection, il n'y a pas à s'étonner qu'il n'ait rien laissé debout » (Gonzague Truc, *Racine*).

Cl. Bernand

ATALIDE. — *Je viens mettre mon cœur et mon crime à vos pieds.*
(V, 6, v. 1576)

Thérèse Marney (ROXANE) et Annie Ducaux (ATALIDE)
Mise en scène de Jean Marchat
Comédie-Française, 1957

ÉTUDE DE « BAJAZET »

1. Une œuvre regrettable

Il semble bien qu'après un succès très net lors des premières représentations, *Bajazet* a été considéré pendant très longtemps comme l'œuvre que Racine n'aurait pas dû écrire, celle qui fait tache dans la belle série de ses tragédies. Cette opinion s'affirme nettement au dix-huitième siècle et pendant la majeure partie du dix-neuvième. Si de nos jours on rend davantage justice à cette tragédie, on sent encore chez beaucoup le regret qu'on ne puisse l'attribuer à quelque habile faussaire. Les critiques lui consacrent à l'ordinaire moins de pages qu'aux autres tragédies; les représentations en sont rares; elle n'est guère pratiquée par les élèves, et l'on ne peut attribuer cette indifférence à l'audace du sujet qui, certes, n'a rien à envier à celui de *Phèdre*.

① « Pièce de second ordre, écrite par un homme de premier ordre. » Cette opinion de La Harpe résume assez bien l'attitude d'une partie de la critique.

② « La Harpe, rendant compte dans *le Mercure* (5 juillet 1778) des pièces que venait de jouer la Comédie-Française (*Tancrède* et *Bajazet*), se permit quelques observations sur cette dernière tragédie, regardée généralement, disait-il, comme l'une des plus faibles de Racine. Il en indiquait les défauts, il en montrait les beautés toutefois, et remarquait que Voltaire, qui s'était engagé sur un sujet à peu près semblable dans *Zatime*, était loin d'avoir réussi à égaler Racine. C'est donc une terrible entreprise, concluait-il, que de refaire une pièce de Racine, même quand Racine n'a pas bien fait » (Sainte-Beuve, article sur la Harpe).

③ « Un homme de talent, qui a particulièrement étudié Racine [...] classait ainsi l'autre jour, devant moi, les tragédies du grand poète : *Athalie, Iphigénie, Andromaque, Phèdre* et *Britannicus* [...] *Bérénice* ne saurait se citer auprès de ces cinq productions hors de pair; elle ne soutiendrait même pas le parallèle avec les autres pièces relativement secondaires, telles que *Mithridate* et *Bajazet* » (Sainte-Beuve, article sur *Bérénice*).
Dans son grand article sur Racine, Sainte-Beuve évoque encore *Bajazet* pour le rôle d'Acomat : en dehors des deux textes cités ci-dessus, c'est la seule référence à la pièce dans l'œuvre entier du grand critique.

④ « Nous n'allons, dans cette tragédie, nous intéresser à personne » (Sarcey, *Quarante ans de théâtre*).

— Le grand reproche. On aurait pu s'attendre à voir la critique attaquer Racine sur la modernité de son œuvre; en fait, le reproche qui lui est fait le plus souvent, c'est que sa pièce n'est pas turque.

① « *Bajazet* offre des beautés supérieures, mais corrompues par la ridicule application des mœurs galantes d'une cour française aux mœurs des Ottomans » (LAMARTINE, *Cours familier de littérature*).

Sur ce point, c'est vers le personnage de Bajazet que les attaques se concentrent :

② « Je vous demande, Monsieur, si à ce style dans lequel tout le rôle de ce Turc est écrit, vous reconnaissez autre chose qu'un Français, qui appelle sa Turque *Madame* et qui s'exprime avec élégance et douceur? Ne désirez-vous rien de plus mâle, de plus fier, de plus animé dans les expressions de ce jeune Ottoman qui se voit entre Roxane et l'empire, entre Atalide et la mort? C'est à peu près ce que Pierre Corneille disait, à la première représentation de *Bajazet*, à un vieillard qui me l'a raconté : cela est tendre, touchant, bien écrit, mais c'est toujours un Français qui parle » (VOLTAIRE, *Correspondance*).

> Racine observe les portraits
> De Bajazet, de Xipharès,
> De Britannicus, d'Hippolyte;
> A peine il distingue leurs traits.
> Ils ont tous le même mérite :
> Tendres, galants, doux et discrets.
> Et l'Amour, qui marche à leur suite,
> Les croit des courtisans français.
> (VOLTAIRE, *le Temple du Goût*.)

③ « Il n'est Turc qu'à moitié, et c'est ce qui le perd [...]. S'il était tout à fait de chez lui, il épouserait Roxane sans hésitation — quitte à la faire coudre après dans un sac —, et il n'aimerait pas Atalide de cet amour chaste, délicat, profond, immuable [...]. Il est évidemment spiritualiste et monogame » (J. LEMAÎTRE, *Racine*).

— Le reproche inverse est moins souvent exprimé. PÉGUY est celui qui le formule le plus nettement. Soutenant que Racine a, finalement, toujours écrit la même pièce, et analysant la préface de 1676, il dénonce dans *Bajazet* un inquiétant désir de renouvellement, « singulière attitude de changement, de variation; de renouvellement par le dehors, par les topographies historiques et géographiques, par les conditions climatériques; singulière attitude et qui trahit presque tragiquement, inquiétude tragique et qui trahit cette peur, en lui-même, cette impression, cette certitude de faire toujours la même pièce » *(Victor-Marie, comte Hugo)*.

④ « C'est ce goût, ce besoin de nouveauté pour la différenciation, pour le renouvellement, qui, dans la stérilité d'un Voltaire, lui fera faire les plus grands voyages, lui fera commettre les extrêmes divagations géographiques et chronographiques, l'emmènera en Chine, dans on ne sait quelle Perse et Babylonie, plus ou moins de convention, plutôt plus que moins, et toujours chez les Turcs. Dans tout cet Orient du dix-huitième siècle français. Dans cette pâteuse Musulmanie. Dans cette persistante Turquerie. Le goût du Turc est toujours très mauvais signe pour le classique français. Il n'est bon que dans Molière. Et le commencement du voyage (tragique) est tout de même dans *Bajazet* » *(id.)*.

2. La grande revision

On assiste, depuis le début de ce siècle surtout, à une réhabilitation de la pièce décriée. C'est l'œuvre d'une critique plus soucieuse d'étudier en profondeur que d'attribuer des prix d'excellence et de consolation, désireuse de réhabiliter les œuvres et les hommes condamnés, plus apte aussi, grâce aux conquêtes de la psychologie moderne, à pénétrer les replis de certains caractères.

— Une tragédie secrète

① « La plus sanglante, la plus sauvage et la plus secrète de toutes les tragédies raciniennes » (THIERRY-MAULNIER, *Racine*).

— Une tragédie vraiment tragique...

② « Ceux qui, dans le théâtre de Racine, se refusent à voir le tragique et prétendent y trouver seulement la poésie pure dont ils rêvent, ceux-là n'ont pas lu *Bajazet* » (Antoine ADAM, *Histoire de la littérature française au XVIIᵉ siècle*).

— ... et cependant humaine

③ « L'une des œuvres de notre littérature qui le plus cruellement révèlent l'homme à lui-même » (*id.*).

— Une étape importante

Bajazet est, avec *Phèdre*, l'œuvre où Racine, après avoir dans les pièces antérieures dessiné une psychologie nouvelle de l'amour, la reprend et l'approfondit.

④ « L'équivalence de l'amour et de la haine, nés sans cesse l'un de l'autre, cet axiome qui est la négation même du dévouement chevaleresque, est au centre de la psychologie racinienne de l'amour. Encore entrevoit-on, chez Pyrrhus et chez Hermione, la possibilité d'une autre attitude, si leurs vœux étaient exaucés. On peut en dire autant de l'Atalide de *Bajazet*, partagée entre le désir de sauver la vie de Bajazet, qu'elle aime, en renonçant à lui pour apaiser Roxane, et celui de provoquer sa mort plutôt que de le perdre; le premier désir triomphe dans la conscience, bien que le second soit assez fort pour dicter la conduite dans un moment décisif et déchaîner la catastrophe :

> *Et lorsque quelquefois de ma rivale heureuse*
> *Je me représentais l'image douloureuse,*
> *Votre mort (pardonnez aux fureurs des amants)*
> *Ne me paraissait pas le plus grand des tourments* (II, 5, v. 685-88),

dit-elle à Bajazet au moment même où elle le supplie de feindre de l'amour pour sa rivale; mais enfin, elle l'en supplie, et, assurée au moins qu'il l'aime, elle fera tout pour le sauver après l'avoir perdu. Racine est allé plus loin avec le personnage de Roxane : en elle l'agressivité semble fondue en toute occasion à l'attitude amoureuse, et on a peine à l'imaginer heureuse; dès le début, la menace est dans sa bouche comme l'expression naturelle de l'amour :

> *Bajazet touche presque au trône des sultans :*
> *Il ne faut plus qu'un pas. Mais c'est où je l'attends* (I, 3, v. 315-16),

et, à Bajazet lui-même :

> *Songez-vous que je tiens les portes du Palais?*
> *Que je puis vous l'ouvrir ou fermer pour jamais;*
> *Que j'ai sur votre vie un empire suprême;*
> *Que vous ne respirez qu'autant que je vous aime?* (II, 1, v. 507-10)

(BÉNICHOU, *Morales du grand siècle*)

— Un sujet racinien

① « Plus que tout autre, le sujet... sert [Racine]. Il y étudie, ou plutôt il y saisit l'amour dans ses libres mouvements et il va aussi loin dans la sauvagerie de cette passion qu'un âge policé le lui permet. Le sentiment qui anime Bajazet, Atalide, et surtout Roxane, sous un art accompli, déguise à peine l'instinct. Il suit son chemin en des âmes primitives où rien ne l'arrête et il parvient tout naturellement à son terme qui, dans la circonstance, est la mort. Tout explique en effet, quoi qu'en ait dit Mᵐᵉ de Sévigné, la tuerie finale, et les victimes elles-mêmes qui ne pouvaient plus vivre ou se survivre, et et le climat, et les mœurs d'une race impitoyable. Le fléau s'étant abattu sur sa terre d'élection, il n'y a pas à s'étonner qu'il n'ait rien laissé debout » (GONZAGUE TRUC, *Racine*).

— La plus racinienne des tragédies

② « De même que *Bérénice* est la plus racinienne des tragédies de Racine parce qu'elle en est la plus tendre, *Bajazet* est la plus racinienne des tragédies de Racine parce qu'elle en est la plus féroce, et que nulle n'offrit jamais (avec un tel entrecroisement de duplicités) un plus épouvantable jeu de l'amour et de la mort » (JULES LEMAÎTRE, *Racine*).

3. Une pièce « turque »

Le point le plus remarquable peut-être, dans l'attitude de la critique moderne à l'égard de *Bajazet*, est qu'elle y discerne cette atmosphère turque que les critiques antérieurs lui avaient à peu près tous déniée.

③ « L'action est toute turque » (JULES LEMAÎTRE, *Racine*).

④ « Ne lui demandez pas l'Orient pittoresque des Romantiques. Qu'en aurait-il fait? Ne lui demandez pas le bric-à-brac des *Orientales*. *Bajazet* manque évidemment d'*icoglans stupides*, de *Allah! Allah!*, de yatagans, de minarets et de muezzins [...]. La couleur locale de Racine reste toujours intérieure » (*id.*).

⑤ « Nulle tragédie n'est plus enveloppée de mystère et d'épouvante » (*id.*).

⑥ « Aucun drame romantique atteignit-il jamais à nous rendre cette atmosphère de Sérail, lourde, confinée, étouffante, avec son peuple tremblant d'esclaves, d'eunuques, de muets? » (FRANÇOIS MAURIAC, *la Vie de Racine*). L'enthousiasme de Mauriac est tel qu'il l'amène à voir des personnages que Racine ne montre, ni ne suggère.

⑦ « Sa tragédie est bien un drame du Sérail » (MAURICE DESCOTES, *les Grands Rôles du théâtre de Racine*).

⑧ « Y-a-t-il ambiance plus oppressante que celle d'un lieu où il est interdit d'entrer et où l'on entre? Et quand la mort attend à la sortie? Ici, avec ses gardiens, *la porte sur la mer;* là, l'*Euxin* » (Jean Pommier, *Aspects de Racine*).

Il convient de se demander, à la lecture de ces textes, et éventuellement en les discutant, en quoi consiste la couleur locale dans *Bajazet.*

On constatera aisément la présence d'un certain nombre de termes « techniques » (voir p. 21). Mais une lecture attentive montrera que leur emploi est moins fréquent qu'on ne pourrait le croire. Si on laisse de côté les mots *sultan, sultane, vizir,* ainsi que *Byzance* et *Babylone* (plus antiques au demeurant que turcs), un relevé des principaux termes fait apparaître les fréquences suivantes :

L'*Euxin* n'apparaît qu'une fois (v. 80).

Les *muets* ne sont cités que quatre fois (v. 435, 1278, 1454, 1544). Il en est de même des *janissaires* (v. 29, 38, 489, 621).

Ottoman est utilisé six fois (v. 126, 459, 465, 594, 643, 1590).

Le *Sérail* est plus fréquent, mais le chiffre est encore modeste, treize fois (v. 128, 204, 571, 586, 629, 796, 877, 894, 1014, 1338, 1424, 1529, 1657).

Il est donc bien évident que la couleur locale se situe ailleurs. *Bajazet* est la tragédie de l'ombre, du secret, du silence, du mensonge. Les vocables qui expriment ces idées font beaucoup plus que les termes turcs pour suggérer l'atmosphère du Sérail. En dressant un dictionnaire de ces termes, on constate le retour constant de certains d'entre eux :

Cacher: v. 135, 391, 410, 675, 1119, 1131, 1162, 1193, 1436, 1616, 1586.

Confier, confiance : v. 277, 1478, 1530, 1714, 1742.

Croire : v. 33, 769, 1019, 1045, 1158, 1262, 1287, 1297, 1464, 1499.

Feindre : v. 147, 388, 666, 670, 1080, 1132, 1136, 1480, 1514, 1573.

Fidèle : v. 17, 145, 176, 197, 897, 1103, 1569, 1716, 1738.

Foi : v. 149, 193, 279, 292, 347, 403, 450, 635, 647, 650, 655, 696, 907, 943, 967, 1007, 1027, 1210, 1228, 1371, 1499, 1546, 1603. La fréquence exceptionnelle de ce mot est particulièrement révélatrice.

Perfide, perfidie : v. 535, 654, 717, 997, 1122, 1150, 1208, 1220, 1245, 1299, 1345, 1485, 1488, 1565, 1684.

Secret : v. 11, 31, 71, 158, 233, 280, 331, 368, 452, 562, 762, 883, 945, 1120, 1491, 1570, 1639, 1644.

Soupçon, soupçonner : v. 37, 123, 132, 751, 1128, 1151, 1225, 1370, 1458, 1722.

Tromper, trompeur : v. 143, 1228, 1233, 1346, 1514, 1574, 1577.

Trahir, traître, trahison : v. 57, 675, 727, 1073, 1116, 1240, 1270, 1274, 1311, 1314, 1318, 1344, 1350, 1580, 1633, 1639.

① Relevez la fréquence des mots suivants : *abusé, adresse, artifice, aveugle, aveuglément, celer, crédule, crédulité, déceler, déçu, déguiser, détours, éblouir, éclaircir, erreur, fier, ignorer, infidèle, mensonge, menteur, mentir, mystère, obscur, ombre, séduit, sincère, trouble, troubler.*

② Pensez-vous que *Bajazet* réponde exactement à la définition de la couleur locale que propose Hugo (Préface de *Cromwell*)? « Ce n'est point à la surface du drame que doit être la couleur locale, mais au fond, dans le cœur même de l'œuvre, d'où elle se répand au-dehors, d'elle-même, naturellement, également, et, pour ainsi parler, dans tous les coins du drame. »

① Comparez de ce point de vue *Bajazet* à *Ruy Blas* ou *Hernani*.

② Comparez la Turquie de Racine à celle de Hugo dans *les Orientales*. Pour ces deux exercices, faites une étude de vocabulaire.

③ Dans un travail collectif, relevez les principales œuvres littéraires françaises dont le cadre est la Turquie (Montesquieu, Voltaire, Loti, etc.). Comparez-les. Aidez-vous du jugement de Péguy cité p. 112.

4. Les personnages

— **Acomat** est le seul rôle qui, depuis le XVIIe siècle, ait obtenu en sa faveur une quasi-unanimité (voir cependant le texte de Sainte-Beuve, p. 37). C'est même lui qui, dans l'esprit de beaucoup de critiques, a sauvé l'œuvre; il est d'ailleurs probable qu'il a profité de la faiblesse qu'on a souvent cru voir dans le personnage de Bajazet. L'admiration de VOLTAIRE est totale : voir le texte cité p. 95. Étudiant un des grands personnages politiques de Corneille, considéré cependant comme un maître dans ce genre de rôle, Voltaire écrit : « Quelle différence entre Acomat dans *Bajazet* et Flaminius dans *Nicomède!* » *(Commentaire sur Corneille).*

Les modernes font chorus dans leur admiration pour Acomat :

« Le subtil Acomat est, par ses principaux traits, le type même d'une certaine espèce d'homme politique, et, en même temps, un Turc fort vraisemblable » (LEMAÎTRE, *Racine).*
« Il y a dans cette tragédie deux rôles admirables, celui de Roxane et celui d'Acomat » (FRANCISQUE SARCEY, *Quarante ans de théâtre).* Acomat est d'abord un militaire, un général disgrâcié que le sultan a réduit à un rôle purement civil, et cela à l'heure d'une glorieuse expédition vers Babylone; se morfondant dans des tâches administratives, ce comploteur médite une sorte de *putsch* qui lui permettra de jouer plus tard le premier rôle, auprès d'un Sultan qui lui devra son trône; il compte sur un petit groupe de fidèles et sur l'appui d'une fraction importante de l'armée; grand spécialiste de l'action psychologique et de la mise en condition (qu'il s'agisse des masses ou des individus), il est d'une compétence sans égale dans les tâches de propagande, sait présenter favorablement une situation, lancer de faux bruits, préparer une manifestation de foule; mais, s'il sait utiliser l'amour aux fins de son ambition, il n'en connaît pas les mystères; dans le malheur, il sait prendre la décision qui s'impose, et son vaisseau est toujours prêt.

④ Illustrez ces indications par des vers tirés du rôle d'Acomat.

⑤ A partir du texte de Voltaire cité plus haut, comparez Acomat et Flaminius.

⑥ « La grandeur de ses desseins élargit singulièrement l'action et en relève beaucoup l'intérêt [...]. Sans Acomat, *Bajazet* ne serait qu'une intrigue d'amour; au lieu du sérail, nous ne verrions que le harem » (LE BIDOIS, *l'Action dans la tragédie de Racine*).

① SARCEY, qui n'aime pas la pièce, va plus loin, et regrette de toute évidence que Racine ait placé un tel personnage dans une œuvre médiocre :

« Acomat est, de tous les personnages, celui qui peut-être a le plus contribué à nous gâter la pièce de Racine. Il est trop vrai. Ce vieux général, ce profond politique, qui se trouve mêlé à une intrigue d'amour, en fait d'autant mieux sentir la mesquinerie et la vanité qu'il parle tout le temps en homme d'État [...]. Cette note juste dans un milieu faux ne fait qu'accuser davantage la fausseté du milieu » *(Quarante ans de théâtre)*.

② Estimez-vous que le personnage n'a de valeur que sur son propre plan, qu'il relève ce qui ne serait sans lui qu'une intrigue d'amour, qu'il y a donc, dans la pièce de Racine, deux actions, l'histoire amoureuse et la conspiration, ou partagez-vous l'opinion de RAYMOND PICARD (Introduction à *Bajazet*, Bibliothèque de la Pléiade)? « Dans aucune autre tragédie, peut-être, l'intrigue politique et l'intrigue amoureuse ne sont aussi abominablement entrelacées. Pour le Vizir Acomat, l'amour n'a qu'une valeur politique; c'est un ressort qu'il fait jouer à son gré : il ménage la rencontre de Bajazet et de Roxane, dont il est comme la fatalité [...]. Mais il se trouve que ce sentiment, une fois fabriqué de la sorte, se développe selon ses propres lois et sans se soucier des précautions politiques; l'amour tragique n'est point un instrument docile; c'est à bon droit qu'Acomat pourra plus tard se désoler d'avoir laissé sa fortune *suivre de ces amants la conduite imprudente :* Roxane et Bajazet sont devenus à leur tour la fatalité d'Acomat. L'ironie tragique du destin se laisse voir à plein dans ce renversement. Ainsi, la pièce se déroule sur deux plans parfaitement étrangers — la politique est absurde aux yeux de l'amour, et l'amour est absurde aux yeux de la politique — mais dont chacun détermine l'autre de façon incompréhensible et cruelle. Dans la tragédie politique, le captif Bajazet dépend de Roxane, la toute-puissante Sultane; mais dans la tragédie amoureuse, Roxane dépend de l'aimable Bajazet. Or il n'y a qu'une seule tragédie, où précisément passion et politique sont à jamais inconciliables, où amour et pouvoir ne sont à aucun moment confondus. Atalide et Bajazet s'aiment, mais les conditions politiques leur interdisent de réaliser cet amour : ils ont l'amour, mais non le pouvoir; Roxane, elle, a le pouvoir, mais non l'amour. On le voit : les personnages sont engagés dans le jeu subtil et déchirant de deux fatalités ennemies qui ne s'accordent que pour leur malheur. »

③ « *Bajazet* est l'histoire d'une conspiration » (DUBECH, *Racine politique*). Appréciez cette manière de résumer la pièce.

④ Comparez *Bajazet* à d'autres œuvres littéraires où l'intrigue politique se mêle à l'intrigue amoureuse : *le Rouge et le Noir* de Stendhal; *l'Éducation sentimentale* de Flaubert; *les Thibault* de Martin du Gard, etc.

— **Roxane** est, après Acomat, le personnage qui a été le mieux admis, ce qui ne signifie pas qu'il y ait un accord unanime sur le sens qu'il convient de lui donner.

Les uns voient en elle une sorte de monstre, avec cette aggravation (ou ce charme particulier) qu'il s'agit d'un monstre turc :

① « Un monstre curieux à étudier pour le psychologue ; mais jamais le public ne se mettra de moitié dans son amour », dit SARCEY, qui ajoute cependant, en l'opposant à Atalide : « Celle-là au moins elle souffre, elle s'emporte, elle rugit, elle frappe. C'est une maîtresse-femme, pas commode, pas agréable, mais vivante et curieuse » *(Quarante ans de théâtre).*

② LEMAÎTRE, cédant à la tentation d'un orientalisme de bazar, va beaucoup plus loin : « Un des animaux les plus effrénés qu'on ait mis sur la scène [...]. Il est certain que son amour répond assez à l'idée que nous nous faisons de l'amour d'une Sultane, d'une femme de harem, d'une personne sensuelle, grasse, aux paupières lourdes, aux lèvres rouges, désœuvrée et totalement dépourvue de tendresse, de mièvrerie et d'idéalisme » *(Racine).*

③ GIRAUDOUX, estimant que « c'est l'inceste seul qui attire Racine vers la Turquie et le Sérail », résume ainsi le personnage *(Tableau de la littérature française) :* « Roxane veut son beau-frère. »

④ Beaucoup plus mesuré, RAYMOND PICARD parle à son sujet de « violence sensuelle ».

⑤ Et ANTOINE ADAM conclut : « Ne disons pas qu'elle est une femme passionnée comme Hermione. Elle est sans tendresse. » *(Histoire de la littérature française au XVIIe siècle).*

⑥ En revanche, JASINSKI *(Vers le vrai Racine)* cite de nombreux passages du rôle de Roxane, qui, pour lui, « disent assez sa tendresse ». Pour Gonzague Truc *(Racine),* elle est « malgré son âme impitoyable, digne de pitié ». Et Maurice Descotes généralise *(Les grands rôles du théâtre de Racine) :* « Dans tout le théâtre de Racine il n'est pas de héros qui, par quelque côté, ne soit pitoyable, et Roxane ne fait pas exception ».

⑦ Allant peut-être plus loin encore, JACQUES MOREL, qui recherche dans le théâtre racinien les souvenirs de la galanterie héroïque, écrit *(La Tragédie) :* « Ici encore subsistent les rêves pastoraux de la tradition : les amoureux-tyrans ont les mêmes désirs de tendresse que les Hippolyte ou les Britannicus [...]. Une apparence de tendresse de la part de Bajazet suffit pour que fonde le cœur de la Sultane amoureuse [...]. L'amour-péché est nostalgie de l'innocence. »

⑧ En utilisant ces jugements, et surtout en lisant de près le texte de la pièce, faites un portrait de Roxane : recherchez en particulier si l'on peut à son égard parler de tendresse ; notez qu'un trait essentiel de son caractère est une crédulité presque incroyable ; à partir de là, appréciez sa part de responsabilité dans le déroulement des événements. Et comparez-la aux autres amoureuses de Racine.

— **Atalide** a surtout souffert de la présence de Roxane et n'a d'abord suscité que peu de commentaires : on lui reprochait des contradictions inacceptables, une délicatesse dans les sentiments amoureux peu vraisemblable chez une Turque ; elle tombait aussi dans le discrédit qui atteignait les jeunes filles raciniennes. Puis on a davantage étudié le rôle, en se souvenant que Racine l'avait confié à sa première comédienne, la Champmeslé :

① « Je ne serais pas étonné que, dans l'idée de Racine, Atalide eût été le principal rôle de la tragédie » (SARCEY, *Quarante ans de théâtre*).

② Le même Sarcey ajoute : « C'est une bonne fille ; nous lui rendons justice ; elle est pleine de nobles sentiments ; mais qu'elle est ennuyeuse avec ses pleurnicheries ! »

En la comparant à Roxane, on s'est rendu compte que, si elle en diffère considérablement, elle ne lui est pas inférieure sur certains plans :

③ « C'est une princesse et qui, dans son amour comme dans ses manières, oppose la pureté de son âge et de son sang aux attraits voluptueux de la sultane. Une femme de tête en même temps, dont la passion s'arme d'une clairvoyance et d'une adresse dignes de faire pendant à l'habileté politique d'Acomat. Moins orientale que Roxane, elle l'est pourtant par son art du mensonge, habile à endormir les soupçons de sa rivale aussi bien que les scrupules de son amant » (XAVIER DE COURVILLE, *Bajazet*).

Réfléchissant davantage sur ses contradictions, les critiques finissent par s'accorder à y voir « la femme » :

④ « Elle a les illogismes de la femme, son imprévoyance, sa frayeur à la vue du péril immédiat, son courage tenace à défendre son bonheur. Elle s'étonne, comme une femme, des faiblesses de l'homme et de ce goût du compromis qui lui paraît, à bon droit, une forme de la lâcheté » (ADAM, *Histoire de la littérature française au XVIIᵉ siècle*). En discutant ce texte, recherchez si l'on peut parler, à propos de Bajazet, de « goût du compromis ». L'expression ne conviendrait-elle pas mieux à certains propos d'Atalide ?

⑤ « Généreuse et loyale de nature, à jamais troublée par la passion, charmante, malheureuse, et, malgré elle, perfide, incertaine, voulant et ne voulant pas, — parce qu'elle veut surtout ce qu'elle veut le moins —, trahie par ses gestes qui perdent son amant au lieu de le sauver, elle est bien femme » (GONZAGUE TRUC, *Racine*).

⑥ « La petite Atalide est encore celle qui ment le plus. Outre qu'elle a la même excuse que Bajazet, on lui en veut — parce qu'elle est femme. Je crois bien, d'ailleurs, que nul ne souffre plus qu'elle : elle a constamment le cœur dans un étau [...]. Avec cela, elle est délicieuse » (LEMAÎTRE, *Racine*).

En définitive, peut-être le problème le plus intéressant qu'elle pose est-il celui-ci :

⑦ « Elle aime Bajazet, et elle aime *pour soi ;* prête à se sacrifier, elle n'arrive pas à l'abnégation des pures amours » (GONZAGUE TRUC, *Racine*).

— **Bajazet.** Vigoureusement attaqué lors de la création (« Bajazet est glacé », écrivait Mᵐᵉ de Sévigné), mal accepté ensuite (voir p. 111), le personnage est encore bien souvent l'objet de critiques. Au fond, *Bajazet* ne devrait-il pas son relatif discrédit à Bajazet ?

⑧ LA HARPE, résumant bien l'avis de nombreux auteurs, lui reproche de n'être pas dans le ton de la tragédie : « Quand on songe qu'il ne s'agit de rien moins que du salut d'un ami tel qu'Acomat, de celui d'Atalide, de Bajazet lui-même et de l'empire, on est forcé d'avouer que les raffinements de délicatesse d'un côté, et la folle complaisance de l'autre sont l'opposé de la tragédie, parce qu'ils le sont du bon sens. »

① Même reproche, dans un registre différent, chez SARCEY *(Quarante ans de théâtre)* : la situation de Bajazet est ridicule ; son attitude dans le déroulement de l'action fausse toute la tragédie :

« Bajazet se trouve entre deux femmes, l'une à qui il doit tout, qui l'aime et qu'il feint d'aimer ; l'autre qu'il aime véritablement et dont il est adoré. Il va de l'une à l'autre, les trompant toutes deux, ne sachant où s'arrêter. Ce personnage d'un homme entre deux femmes [...] est presque toujours, au théâtre, ou insupportable ou ridicule [...]. Bajazet, entre ces deux femmes, joue le rôle d'un maître sot. Le peuple dirait de lui qu'il a l'air godiche.

» Ce grand nigaud s'arrête à des considérations d'amourette ; il craint de faire de la peine à sa petite cousine qui pousse des soupirs [...]. Vous n'imaginez pas l'impatience du public au troisième acte, quand on croit tout arrangé, quand Bajazet a donné, pour la seconde ou troisième fois, sa parole à Roxane et à son ministre Acomat, et que tout à coup, parce qu'il vient d'entendre les gémissements de cette petite pécore d'Atalide, il change d'avis et laisse tout le monde consterné. »

La discussion (peut-être assez fausse) a continué de porter sur le problème de savoir si Bajazet est turc ou français.

② Aucun doute pour DUBECH *(Racine politique)* : « Bajazet n'est pas un homme, c'est un Turc [...]. Bajazet n'est qu'un Turc. »

③ GEOFFROY, avec plus de mesure, soutient le même point de vue : « Racine nous a présenté dans Bajazet l'héroïsme de la probité et de l'honneur beaucoup plus que celui de la constance et de la fidélité amoureuse [...]. Bajazet a toute la fierté, tout le flegme et toute la bonne foi des Turcs. Il renonce au trône pour ne pas tromper une femme, tandis qu'une perfidie amoureuse est le triomphe d'un galant français. Il s'expose à la mort pour ne pas affliger ce qu'il aime, tandis qu'un petit-maître français se fait un plaisir et un honneur de déchirer le cœur qu'il a séduit. Assurément, Bajazet est turc autant qu'il est possible de l'être. »

④ ANTOINE ADAM *(Histoire de la littérature française au XVIIe siècle)* s'attaque directement au jugement de Voltaire : « Le rôle de Bajazet a trompé Voltaire lui-même. Il n'y voyait qu'un personnage de gentilhomme galant et fade. Racine a voulu fort exactement le contraire [...]. Bajazet est turc par l'excès où le porte sa passion pour Atalide. Il l'est plus encore par ce que nous appellerions son fatalisme. Bajazet est entêté sans doute et sans les délicatesses de la galanterie française. »

On établit éventuellement des dosages :

⑤ « Ce qu'il a de Français, c'est une bonne grâce chevaleresque, une vertu aimable, une loyauté qui souffre de se voir contrainte » (GONZAGUE TRUC, *Racine*).

⑥ « Il n'est Turc qu'à moitié, et c'est ce qui le perd, et c'est aussi ce qui rend son caractère très attachant » (LEMAÎTRE, *Racine*). La difficulté de cette chimie sentimentale vient du fait qu'il faudrait d'abord s'entendre sur ce qu'on appelle Turc et Français. Mieux vaut sans doute s'interroger simplement sur le caractère du héros, indépendamment de sa nationalité, au fond accessoire. On passe alors d'un extrême à l'autre :

① Pour Thierry Maulnier, il est « veule ».

② Pour Adam, « il est avant tout un guerrier ».

③ « Bajazet, comme tous les autres personnages de Racine, ne nous semble pas à ce point Turc ou Français. Il est homme » (Truc, *Racine*).

④ « Plus nous étudions ce caractère, moins nous pouvons souscrire à la condamnation des critiques; moins il nous semble que la figure de Bajazet se confond parmi celles des galants doucereux et vulgaires; plus elle nous paraît avoir d'originalité et de relief, plus nous la trouvons digne de la tragédie » (Deltour, *les Ennemis de Racine*).

⑤ « Il y a, dans les mouvements de courageuse franchise de Bajazet devant Roxane [...] une attitude comparable à celle de Rodrigue » (Morel, *la Tragédie*).

⑥ « Bajazet, c'est l'honnête homme engagé dans une situation fausse, contraint de s'abaisser moralement à ses propres yeux pour faire ce qu'il croit être son devoir, et de revêtir des apparences équivoques au moment où il est en réalité le plus héroïque » (Lemaître, *Racine*).

⑦ « Les peintures sympathiques de Racine, dès qu'il s'agit de héros masculins, sont irrémédiablement faibles [...]. Racine a bien fait ce qu'il a pu pour conserver à ses soupirants, Britannicus, Bajazet, Xipharès, de l'ambition, du courage, de l'attachement à leurs prétentions royales; il a essayé de les rendre virils en même temps que touchants, ce qui ne veut pas dire qu'il soit parvenu à ceci ou à cela » (Bénichou, *Morales du Grand Siècle*).

La grande variété de ces jugements met en valeur la complexité du problème : Bajazet finit par paraître un des personnages les plus ambigus de Racine. Dans votre interprétation personnelle, tenez compte du mot de Racine (p. 28, ligne 72) sur sa *férocité*, clef probable du personnage; notez aussi le nombre de scènes, le nombre d'actes où il paraît. Rapprochez-le des autres créations comparables : Hippolyte, Xipharès, Britannicus.

5. Les caractères essentiels de la tragédie racinienne dans « Bajazet »

— La fatalité

⑧ « Le tragique n'est pas dans le malheur réel ou imprévu, qui nous vide aussitôt de pensées, mais au contraire dans le malheur attendu, dont on entend les pas, qui arrivera, qui est déjà arrivé, qui fera son entrée comme un acteur. Tout l'art dramatique revient à dessiner, à faire entendre, à faire toucher ce pressentiment... Nous n'assistons point du tout à une tragédie comme à un naufrage ou à un incendie, où l'on ne sait si les gens vont se sauver ou non » (Alain, *Vingt leçons sur les beaux-arts*). Appliquez ce texte à *Bajazet*.

⑨ En partant de ce texte, réfléchissez sur le rôle que joue Amurat, personnage essentiel de la tragédie, puisqu'il y représente une sorte de fatalité lointaine (songez à Dieu dans *Athalie*) : « Ces êtres s'aiment et se menacent entre condamnés; et il y a longtemps déjà que bien loin, à Bagdad, le Sultan a signé l'ordre de leur exécution. *Bajazet* est dominé par cette volonté de mort d'un maître qui sait tout, qui a les héros dans sa main et n'a fait qu'attendre son heure. Ainsi les héros de *Bajazet* sont, dès le lever du rideau, par une fatalité rusée, implacable, orientale, marqués pour le supplice » (THIERRY MAULNIER). Que devient alors la liberté des personnages? Quel est le rôle joué par leurs passions? Peut-être existe-t-il deux fatalités.

① « A l'affirmation de la tragédie antique, que nul ne peut rien contre sa destinée, Racine substitue cette affirmation que nul ne peut rien contre sa nature [...]. Les fatalités divines, auxquelles Racine laisse leur place, n'atteignent pas le héros directement, mais par sa passion même, et en le faisant passionné » (THIERRY MAULNIER).
Étudiez cette « double fatalité » dans *Bajazet;* utilisez également le texte suivant :

② « [De là] l'illusion d'une *tragédie moderne* qui ferait descendre la nécessité du ciel sur la terre et où la passion agirait comme une fatalité. Or, le tragique ne peut descendre et la passion n'a plus rien d'une fatalité quand elle n'est ni une malédiction ni un don des dieux » (GOUHIER, *le Théâtre et l'Existence*).

③ Une question se pose, à propos du personnage d'Amurat : dans l'histoire (voir p. 15), la prise d'Érivan, en 1635, coïncidait pour lui avec la naissance d'un fils. L'ordre d'exécution de Bajazet (et de Soliman) était une conséquence de l'heureux événement : l'avenir de la dynastie était assuré. On peut alors se demander pourquoi, dans l'œuvre de Racine, Amurat, qui n'osait pas « proscrire l'espérance du sang ottoman », donne tout à coup l'ordre de tuer Bajazet, sans qu'un heureux événement soit annoncé ou survenu; Racine semble suggérer qu'Amurat a eu des soupçons sur les relations de Roxane et Bajazet. En réalité, les convenances lui interdisaient de présenter une Roxane mère, ou future mère, et de donner ainsi la raison historique de la décision d'Amurat. Il y avait là, pour lui, une difficulté : la sent-on à la lecture?

— L'amour

Bajazet offre évidemment un excellent exemple pour étudier les divers aspects de l'amour racinien.

④ « L'édifice de la tragédie racinienne est construit sur la double fondation de la galanterie héroïque et de la morale du dépassement » (MOREL, *la Tragédie*). Étudiez ce texte en portant particulièrement l'attention sur le personnage de Bajazet.

⑤ « Il n'est donc pas deux sortes d'amour dans le théâtre de Racine. Dans ses formes les plus innocentes, l'Éros est présent, qui rend insupportable aux amants l'épreuve de l'éloignement ou de la dissimulation, et qui s'empare des moindres malentendus pour en faire les drames mortels de la jalousie. Dans ses formes les plus noires, des traces subsistent d'une impuissante Agapè qui auréole d'une étrange grandeur ses démarches les plus inhumaines. C'est dire que la passion amoureuse garde toujours, dans la tragédie racinienne, une ambiguïté fondamentale. Elle y est la manifestation la plus nette du déchirement de l'homme entre la terre où il est condamné à vivre et le lointain paradis dont il garde la nostalgie » (MOREL). Ce texte ne semble-t-il pas spécialement écrit à propos de *Bajazet?* L'*éros* est l'amour violent, dominateur, sensuel, passionné, le désir amoureux; l'*agapè* est le sentiment profond, calme, durable, dévoué à l'autre.

① « Après dîner, l'Empereur ayant fait venir Racine, son favori, il nous a lu les plus beaux morceaux d'*Iphigénie*, de *Mithridate* et de *Bajazet : Bien que Racine ait accompli des chefs-d'œuvre en eux-mêmes*, a-t-il dit en finissant, *il y a répandu néanmoins une perpétuelle fadeur, un éternel amour et son ton doucereux, son fastidieux entourage; mais ce n'était pas précisément sa faute*, ajoutait-il, *c'était le vice et les mœurs du temps. L'amour alors, et plus tard encore, était toute l'affaire de la vie de chacun. C'est toujours le lot des sociétés oisives*, observait-il. *Pour nous, nous en avons été brutalement détournés par la Révolution et ses grandes affaires* » *(Mémorial de Sainte-Hélène)*.
Laissez à NAPOLÉON toute liberté de condamner la présence de l'amour au théâtre. Mais l'amour que décrit Racine mérite-t-il les qualificatifs qui lui sont accordés? Pouvez-vous imaginer quels étaient les « plus beaux morceaux » de *Bajazet* que Napoléon lisait à Sainte-Hélène?

② « Amour : ce mot désigne à la fois une passion et un sentiment. Le départ de l'amour, et à chaque fois qu'on l'éprouve, est toujours un genre d'allégresse lié à la présence ou au souvenir d'une personne. On peut craindre cette allégresse et on la craint toujours un peu, puisqu'elle dépend d'autrui. La moindre réflexion développe cette terreur, qui vient de ce qu'une personne peut à son gré nous inonder de bonheur et nous retirer tout bonheur. D'où de folles entreprises par lesquelles nous cherchons à prendre pouvoir à notre tour sur cette personne; et les mouvements de passion qu'elle éprouve elle-même ne manquent pas de rendre encore plus incertaine la situation de l'autre. Les échanges de signes arrivent à une sorte de folie, où il entre de la haine, un regret de cette haine, un regret de l'amour, enfin mille extravagances de pensée et d'action. Le mariage et les enfants terminent cette effervescence. De toute façon, le courage d'aimer (sentiment du libre arbitre) nous tire de cet état de passion, qui est misérable, par le serment plus ou moins explicite d'être fidèle, c'est-à-dire de juger favorablement dans le doute, de découvrir dans l'objet aimé de nouvelles perfections, et de se rendre soi-même digne de cet objet. Cet amour, qui est la vérité de l'amour, s'élève comme on voit du corps à l'âme, et même fait naître l'âme, et la rend immortelle par sa propre magie » (ALAIN, *Définitions*). La première partie de ce texte s'applique aisément aux personnages de *Bajazet*. En est-il de même de la seconde?

— Tragédie et comédie

③ « La comédie de *Bajazet* se joue parmi les tromperies du senti-ment : l'amour dupeur et l'amour dupé interprètent favorablement tous les signes, et Roxane serait presque ridicule si la vie et la mort n'étaient l'enjeu de cet imbroglio » (MOREAU, *Racine*).

④ « Dans toute tragédie, il y a une comédie en train de naître; et l'auteur, comme l'acteur, passera aisément au comique par un mouvement naturel, qui n'est que de séparation mieux marquée entre moi et moi, et en somme un refus de la tragédie. Comme la colère du jaloux, d'abord terrible, est aussitôt ridicule par un afflux de pensées; et telle est la force comique [...]. Il ne faut qu'un peu plus de franchise, un certain grossissement du drame en train de naître, pour que le rire s'élève » (ALAIN, *Vingt leçons sur les beaux-arts*). A partir de ces textes, utilisez *Bajazet* pour une étude des rapports entre la tragédie et la comédie.

— La cruauté

① « La cruauté naturelle, profonde, des raciniens est sans limite. Et cela sans aucune exception [...]. On voit aussi, on sait assez combien ce mot de *cruel* (*le*) et même de cruauté revient dans Racine. Combien de fois il y figure [...]. Il est dans Racine presque un mot technique, certainement un mot rituel, le mot même de la révélation du cœur [...]. Ces malheureux personnages de Racine, ils ont tellement la cruauté dans le sang, dans le sang charnel, que même quand ils ne sont pas ennemis, même quand ils ne se battent pas, ils se blessent toujours. Ils sont naturellement blessants. Ils blessent par métier, par office, par nature. Par attitude. Ils blesseraient pour se donner une contenance. Ils sont venus au monde blessants et un constant exercice aiguise leur cruauté, maintient l'aigu, la pointe de leur cruauté. De leur blessement. Même quand ils ne se veulent pas de mal, ils s'en font. Par nature, par entraînement; par habitude, par exercice; par maintien, par contenance; par désœuvrement, le pire de tout; par attitude prise, gardée; par une attitude de cœur. Par goût acquis, gardé » (PÉGUY, *Victor-Marie, comte Hugo*). Appliquez ces remarques aux personnages de *Bajazet*.

— Drame et poésie

Certains critiques (à l'époque romantique, mais aussi à l'époque moderne avec Henri Bremond) ont eu tendance à considérer dans Racine un poète lyrique, élégiaque, et à le juger médiocrement doué pour l'action dramatique.

② « Racine, divin poète, est élégiaque, lyrique, épique » (HUGO, Préface de *Cromwell*).

③ « Est-ce [...] vouloir renverser Racine que de déclarer qu'on préfère chez lui la poésie pure au drame et qu'on est tenté de le rapporter à la famille des génies lyriques, des chantres élégiaques et pieux, dont la mission ici-bas est de célébrer l'amour? » (SAINTE-BEUVE, article sur Racine).

Recherchez si ces deux opinions vous semblent justifiées dans le cas de *Bajazet*. A cette occasion, notez les vers, les passages qui méritent le qualificatif de « lyriques ». Remarquez, dans le texte de Sainte-Beuve, le terme de « poésie pure », destiné à être repris par Brémond qui, dans un livre célèbre, rapprochera sur ce point Racine de Valéry. Notez que, dans le texte de Hugo, le terme *épique* vise expressément *Athalie*.

D'autres vont beaucoup plus loin : Racine ne serait doué ni pour le drame, ni pour le lyrisme; la tragédie, entre ses mains, serait une sorte de cérémonie hiératique, avec accompagnement de discours :

④ « Ce qui frappe dans la tragédie, c'est la partie oratoire; elle est une gerbe de beaux discours, l'action elle-même est racontée. Elle donne un plaisir littéraire par la profusion de formules élégantes, de vers ciselés, de mots heureux. Dans cette arène de rhétorique, il n'y a place ni pour la rêverie, ni pour le mouvement, ni pour le lyrisme, ni pour le drame. Une infinie conversation, avec quelques gestes sculpturaux et des coups d'œil expressifs, voilà la forme de la tragédie [...]. Au total Racine est un artiste parfait, mais la tragédie, même entre ses mains, sent son étrangère; elle représente l'idéal de la dignité monarchique, d'accord, mais un idéal conventionnel » (AMIEL, *Journal intime*, 12 mai 1873).

Discutez particulièrement, à propos de *Bajazet*, la phrase centrale : « Dans cette arène... »

L'avis contraire :

① « Cette pièce est une des plus dramatiques de Racine » (RAYMOND PICARD, Introduction à *Bajazet*).

— Les unités

Bajazet est un excellent terrain d'étude pour des recherches sur le rôle des unités dans le théâtre racinien :

② Pour l'unité d'action, voyez le texte de Raymond Picard cité à propos d'Acomat, p. 117.

③ « Tout ce qui est trop caractéristique, trop intime, trop local pour se passer dans l'antichambre ou dans le carrefour, c'est-à-dire tout le drame, se passe dans la coulisse » (HUGO, Préface de *Cromwell*). Recherchez, dans *Bajazet*, ce qui « se passe dans la coulisse »; voyez comment Racine suggère le palais, la ville, l'empire; demandez-vous cependant si l'unité de lieu ne présente pas ici quelques sérieuses difficultés.

④ « La folie d'une Roxane [...] ne peut durer que quelques heures; elle porte en elle son unité de temps » (MOREAU, *Racine*). Commentez ce texte, mais étudiez comment Racine prolonge les vingt-quatre heures en suggérant le passé (le voyage d'Osmin, les amours enfantines, etc.).

⑤ « Il est donc vrai, comme on l'a dit, qu'il faut au théâtre tragique l'unité de temps, entendez la continuité et la mesure [...] et il faut que l'on sente toujours la marche des heures, et la nécessité extérieure qui presse les passions et les mûrit plus vite qu'elles ne voudraient » (ALAIN, *Système des beaux-arts*).

Étudiez avec attention ce texte essentiel : recherchez si ce qu'Alain appelle « unité de temps » (la continuité et la mesure) vous apparaît dans *Bajazet* : les entractes, par exemple, ne provoquent-ils aucune « discontinuité »? Distinguez bien la « mesure » du « rythme » (il vous sera facile de voir quelques changements de rythme dans l'action; dans l'esprit d'Alain, cette mesure et cette continuité sont évidemment liées à l'emploi du vers alexandrin).

— Racine romantique ?

⑥ STENDHAL définit le « romanticisme » comme « l'art de présenter aux peuples les œuvres littéraires qui, dans l'état actuel de leurs habitudes et de leurs croyances, sont susceptibles de leur donner le plus de plaisir possible ». Il peut alors déduire : « Je n'hésite pas à avancer que Racine a été romantique; il a donné aux marquis de la cour de Louis XIV une peinture des passions, tempérée par l'extrême dignité qui alors était de mode, et qui faisait qu'un duc de 1670, même dans les épanchements les plus tendres de l'amour paternel, ne manquait jamais d'appeler son fils Monsieur [...]. Cette dignité-là n'est nullement dans les Grecs, et c'est à cause de cette dignité, qui nous glace aujourd'hui, que Racine a été romantique » *(Racine et Shakespeare)*. L'intérêt de ce texte est sans doute limité : tout écrivain qui donne à son époque ce que cette époque réclame est « romantique » dans le sens où l'entend Stendhal; mais celui-ci franchit un pas important quand il tente d'imaginer ce qu'aurait fait un Racine à l'époque proprement romantique, et c'est *Bajazet* qui va lui servir d'exemple :

① « Racine ne croyait pas que l'on pût faire la tragédie autrement. S'il vivait de nos jours, et qu'il osât suivre les règles nouvelles, il ferait cent fois mieux qu'*Iphigénie*. Au lieu de n'inspirer que de l'admiration, sentiment un peu froid, il ferait couler des torrents de larmes. Quel est l'homme un peu éclairé qui n'a pas plus de plaisir à voir au Français la *Marie Stuart* de M. Le Brun que le *Bajazet* de Racine? » (*Racine et Shakespeare;* la *Marie Stuart* de Le Brun est une adaptation de la pièce de Schiller). Pouvez-vous imaginer un *Bajazet* écrit selon « les règles nouvelles »? Rédigez au moins le plan d'ensemble de *Bajazet*, drame romantique.

② Stendhal n'est pas le seul à se livrer à ce genre de suppositions. Sainte-Beuve prétend (*Lundi* du 24 juin 1833) que Racine « était bien plus propre à l'élégie qu'au dramatique, et qu'en d'autres circonstances, il se fût aisément passé du théâtre pour s'adonner à la poésie méditative et personnelle ».
Enfin, le peintre Delacroix a écrit (Lettre du 29 mai 1858) : « N'oublie pas, contrairement à nos idées de jeunesse, que Racine est le romantique de son époque. Son succès, très contesté dans son temps, vient du naturel de ses pièces. » La première phrase ne fait guère que reprendre l'idée de Stendhal; la seconde est plus intéressante : qu'est-ce que le « naturel » de *Bajazet?*

— Le but du théâtre

③ « Quand je lis Shakespeare ou Racine, je ne me demande jamais si c'est ou non *du théâtre*. J'y vais chercher une connaissance plus profonde des mouvements de l'âme humaine, des situations pathétiques, et de ces mots *qui portent à leur cime une lueur étrange* (V. Hugo); bref quelque chose qui nourrisse ensemble le cœur et l'esprit. Sans doute même ce qui est proprement *du théâtre* est-il ce qui m'y intéresse le moins.
» Une pièce de théâtre ne m'intéresse que si l'action extérieure, réduite à sa plus grande simplicité, n'y est qu'un prétexte à l'exploration de l'homme; si l'auteur s'y est donné pour tâche, non d'imaginer et de construire mécaniquement une intrigue, mais d'exprimer avec le maximum de vérité, d'intensité et de profondeur un certain nombre de mouvements de l'âme humaine » (Montherlant, *Notes de théâtre*).
Lisez ou relisez quelques pièces de Claudel et de Montherlant à propos desquelles on peut évoquer la tragédie classique : *l'Otage; la Reine morte; le Maître de Santiago*. Appliquez d'abord à ces œuvres les textes cités. Imaginez ensuite les réactions de Montherlant après une représentation de *Bajazet* : rédigez la « note de théâtre » qui fixerait le souvenir de cette soirée.

TABLE DES MATIÈRES

Imprimerie Jean-Lamour, 54320 Maxéville
Dépôt légal : mai 1991 — Dépôt légal 1ʳᵉ édition : 1965
Imprimé en France.

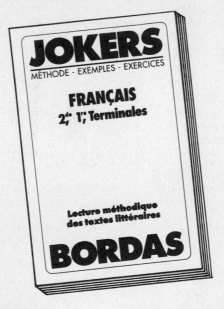